Le Spa Eastman
À VOTRE TABLE

Éditeur : Spa Eastman

Idée originale : Jocelyna Dubuc, présidente-directrice générale, Spa Eastman

Auteurs : Jocelyna Dubuc, présidente-directrice générale, Spa Eastman
          Pierre Cornélis, chef
          Stéphane Triballi, chef pâtissier

Rédaction des recettes : Sylvie Dorais
Révision du contenu et rédaction
des informations nutritionnelles : Geneviève O'Gleman Dt.P. Nutritionniste
Révision linguistique : Luxtrad Inc.

Direction artistique : Dubuc communication visuelle
Conception graphique : Dubuc communication visuelle
          Sheryl Ewart

Photographie de la couverture : Tango Photographie
Photographies de l'endos : Jean Longpré, Paul-Émile Rioux
Photographie de Jocelyna Dubuc, Pierre Cornélis et Stéphane Triballi : Nancy Lessard
Photographies du Spa Eastman : Jean Longpré, Paul-Émile Rioux
Photographies des recettes : Tango Photographie
Styliste culinaire : Jacques Faucher
Accessoiriste : Luce Meunier

Impression : Imprimerie Solisco Inc.
Tous droits réservés
Dépôt légal : 4e trimestre 2005 Bibliothèque nationale du Québec
ISBN 2-9809162-0-X

Imprimé au Canada

www.spa-eastman.com
(450) 297-3009 · 1 800 665-5272

À vous, chers clients du Spa Eastman,

qui nous avez fidèlement accompagnés

depuis le début de cette merveilleuse aventure.

Le Spa Eastman

À VOTRE TABLE

AU COMMENCEMENT...

Le Spa Eastman a vu le jour en 1977. Je rêvais, depuis plusieurs années,

de créer un lieu de vacances et de ressourcement qui donnerait aux

gens le goût de prendre soin de leur mieux-être et de leur santé.

Durant mon enfance, j'ai régulièrement contracté les maladies qui passaient à ma portée. Mon adolescence ne m'a pas dotée d'un meilleur état de santé. Au début des années 60, accompagnant ma mère dans l'un des rares magasins d'aliments naturels où elle espérait découvrir une façon de remédier à ses problèmes chroniques d'insomnie, j'ai fait la rencontre inégalable de nouvelles odeurs et de produits que les épiceries de l'époque n'offraient pas : herbes, grains, farines entières, épices... Le tout mêlé à une délicieuse atmosphère d'apothicaire qui m'a aussitôt vivement séduite. Ce fut, à vrai dire, une véritable révélation.

À la même époque, j'ai fait l'expérience d'une cure et commencé à m'interroger sérieusement sur mes habitudes alimentaires. Je suis devenue plus que jamais soucieuse de ce que je mangeais. Je ne voulais plus hypothéquer ma santé et mon bien-être à cause d'une mauvaise alimentation. Ma curiosité m'a appelée à me documenter et, grâce à mes lectures, j'ai rapidement intégré un menu quotidien entièrement remanié. Ma santé, fragile jusqu'alors, s'est améliorée peu à peu. Je suis devenue de plus en plus consciente du pouvoir de l'alimentation sur mon état général.

Parallèlement à cet intérêt, j'étais habitée par une préoccupation globale de mieux-être. J'ai donc aussi exploré le yoga, la méditation, le massage et tous les arts nobles de la relaxation. La création d'une oasis où je pourrais partager ces passions s'est totalement emparée de moi. J'ai alors choisi d'abandonner l'enseignement, mon métier jusqu'alors, pour me consacrer à cette nouvelle façon de vivre et de me nourrir.

J'ai monté une petite entreprise de production et de vente de biscuits santé. Pendant ce temps, je construisais graduellement mon rêve d'un lieu de ressourcement. En 1977, l'occasion s'est enfin présentée de le concrétiser. Je me suis en effet installée dans une maison de ferme, dans les Cantons de l'Est, et je me suis lancée dans ce qui allait devenir une formidable aventure : la création du Spa Eastman.

LE SPA EASTMAN À SES DÉBUTS

Pendant ses premières années d'opération, l'entreprise a porté le nom de Centre de santé d'Eastman. L'établissement saisonnier ne disposait que de cinq chambres et la programmation se limitait à des week-ends thématiques axés sur la détente. Massothérapie, relaxation dirigée et alimentation végétarienne y tenaient déjà la vedette. J'ai commencé à m'entourer d'une précieuse équipe.

Jusqu'au milieu des années 80, l'approvisionnement en produits de qualité a été l'un de mes plus grands défis. Les céréales complètes, légumineuses, graines et germinations ne faisaient pas partie de l'assiette des Québécois et les magasins d'aliments naturels étaient encore très rares. Les épiceries ethniques devenaient souvent nos meilleurs fournisseurs pour bon nombre de produits que nous ne pouvions dénicher autrement. Dès cette époque, nous nous sommes rapidement imposé des règles de conduite pour gouverner et enraciner notre choix d'offrir une alimentation de qualité, malgré les difficultés d'approvisionnement. En s'en tenant à ces grands principes de base, le Spa Eastman a su garder sa route et tenir, au fil des ans, son engagement d'offrir une alimentation saine et de grande qualité. Ces choix nous ont évité bien des écueils, notamment celui de suivre les modes et tendances qui jaillissaient de toutes parts en matière d'alimentation.

Jusqu'en 1994, le Spa Eastman a offert une cuisine exclusivement végétarienne. Cependant, dans ma quête et mon souci incessants de bien m'informer, au fil de mes lectures, rencontres et expériences personnelles, j'ai apporté certains changements à la cuisine du Spa. Il m'est progressivement apparu clair que l'apport nécessaire en protéines, lipides et glucides était plus difficile à atteindre avec un régime exclusivement végétarien. Le végétarisme ne pouvait vraisemblablement pas convenir à tous. Cela demeure-t-il une question de goût, de convictions, de choix personnels ou de métabolisme ? Je ne saurais le dire. Mais ce que je sais toutefois, c'est que l'objectif santé mérite que chacun observe, s'informe et remette en cause ses choix. Se nourrir doit être une démarche consciente et personnelle, excluant d'acheter à l'aveuglette ce que l'industrie alimentaire dépose sur les rayonnages de nos épiceries.

Au Spa Eastman, nous n'avons jamais opté pour le calcul et la restriction des calories. À long terme, nous croyons que ce n'est pas, en soi, une promesse de santé ou de saine alimentation. Depuis toujours, nous recherchons d'abord des aliments complets, nourrissants et contenant le moins d'additifs possible. Lorsque nous parlons aujourd'hui d'une cuisine fondée sur de tels principes et utilisant de tels produits, ce sont les mots « cuisine santé » que nous entendons. Pour nous, c'est tout bonnement notre charte, notre base…

LA MALBOUFFE DANS NOS ASSIETTES

Au milieu du siècle dernier, l'industrie alimentaire a profité de nouvelles technologies et de nouvelles connaissances pour « améliorer » d'une part, sa productivité et sa rentabilité et, d'autre part, le goût et la texture de certains aliments tout en favorisant leur durée de conservation. Les cuisinières de l'époque — nos grands-mères et nos mères — ont profité de ces « progrès » : riz précuits, flocons de pomme de terre, sauces en sachets, plats surgelés et légumes en conserve. Du jour au lendemain, la femme au foyer a vu sa vie simplifiée. Éblouie devant tant de choix sur les rayonnages de l'épicerie, elle n'a pas posé trop de

Nous recherchons et encourageons
• les producteurs locaux.

Nous privilégions
• les aliments frais, variés et peu ou pas transformés ;
• les farines entières ;
• les aliments biologiques ;
• une cuisine sans OGM.

Nous n'utilisons que
• des huiles de première pression à froid.

Nous garantissons
• notre yogourt maison ;
• nos confitures, vinaigrettes, fonds, bouillons, sauces et pâtisseries faits maison ;
• les herbes, fleurs comestibles, légumes et petits fruits de notre jardin biologique.

Nous offrons
• un assortiment de graines, de germinations et de pousses à chaque repas ;
• un buffet de salades proposant toujours des algues, de la lécithine et des graines de lin moulues.

questions, endossant en silence les nouveaux choix de l'industrie, avec la complicité de l'homme de la maison. Saveurs artificielles, colorants, émulsifiants, stabilisateurs, agents de conservation, peu à peu, les aliments purs ont été traités, raffinés, modifiés. Nous avons collectivement perdu le réflexe de chercher le naturel.

Bientôt, accompagnant l'arrivée massive des femmes sur le marché du travail, l'alimentation rapide — surtout celle des restaurants-minute — a créé la puissante industrie de la malbouffe, dont l'impact négatif se confirme à présent non seulement sur les gens, mais aussi sur l'environnement. Selon le World Cancer Research Fund, de 30 à 40 % de tous les cancers sont attribuables à ce que nous mangeons, à notre poids et à notre condition physique[1].

Qualifiée de pandémie par l'Organisation mondiale de la santé, l'obésité touche quant à elle près du quart de la population industrialisée et envahit maintenant les pays en voie de développement. Au Québec, le taux de personnes obèses était de 12,6 % en 2001 (environ une personne sur huit), tandis que le nombre d'adultes souffrant d'embonpoint atteignait près de la moitié de la population (44 %)[2].

VIVEMENT LE RETOUR AUX SOURCES

Nous avons de plus en plus besoin de ralentir le rythme et de prendre conscience de nos besoins essentiels. Parmi ceux-là, le plaisir qu'apporte un bon repas : ce précieux moment d'échanges, en famille ou entre amis, invite à déguster des aliments sains, préparés avec originalité pour des saveurs inoubliables...

Nombreux sont ceux qui expriment le désir de revenir au pur plaisir de bien manger en choisissant avec soin des menus nourrissants et appétissants. Un mouvement a même été officiellement créé pour encourager ce retour aux sources : le Slow Food qui rassemble déjà 80 000 membres dans le monde. Ce mouvement valorise particulièrement la production de type local, biologique et durable ainsi que l'éducation au goût. Maintenant présent dans plus de cent pays, Slow Food milite pour la protection des cuisines locales, des races animales et des espèces végétales en danger de disparition[3].

INVITATION SPÉCIALE
POUR DES GENS COMME VOUS !

Ces recettes ont été préparées avec grand soin par notre chef et notre chef pâtissier. Je veux souligner, de façon particulière, leur parfaite complicité. Ils l'expliquent eux-mêmes par la convergence de leurs riches parcours professionnels en matière de cuisine santé, mais c'est bien plus que cela : l'écriture de ce livre est passée par beaucoup d'échanges, d'expérimentations et de questionnements réciproques pour tester, raffiner et peaufiner leurs recettes.

Que cet ouvrage culinaire, fruit de plusieurs années de travail, soit pour vous l'occasion d'une expérience gastronomique des plus agréable et savoureuse, un prétexte à redécouvrir « le bien manger ».

Il me fait donc plaisir et honneur de dévoiler les secrets de la gastronomie santé du Spa Eastman.

Bonne table et bon appétit !

Jocelyna Dubuc

1 Source : www.wcrf.org
2 Source : Centre de référence sur la nutrition humaine EXTENSO. www.extenso.org
3 Source : www.slowfoodquebec.com

Le Spa Eastman

QUELQUES
notions élémentaires

Assurez-vous de prendre des repas équilibrés qui incluront des aliments
de chacune des catégories suivantes : des glucides, des protéines, et un
peu de matières grasses. Le corps a besoin de chacun de ces éléments
nutritifs pour bien fonctionner. De plus, un repas équilibré permet
d'éviter les pannes d'énergie entre les repas et limite les fringales.
Retenez également l'importance d'utiliser des huiles de qualité,
de première pression à froid, idéalement biologiques : elles font
toute la différence, au goût autant qu'à la santé.

Bien sûr, même la meilleure alimentation au monde n'aura pas l'impact espéré si elle ne fait pas partie d'une démarche globale. L'adoption d'un mode de vie sain passe par une saine alimentation, mais aussi par l'activité physique et la détente, des valeurs qui sont au cœur de la philosophie du Spa Eastman.

OÙ TROUVER GLUCIDES, PROTÉINES ET MATIÈRES GRASSES ?

Un repas équilibré doit contenir une proportion adéquate de glucides, de protéines et de matières grasses. Toutes les recettes présentées dans ce livre ont été élaborées en tenant compte de cet équilibre. De façon générale, retenez simplement qu'une alimentation variée, constituée de produits de qualité et mettant un accent prioritaire sur les légumes, respectera naturellement l'équilibre à rechercher. Voici tout de même quelques pistes pour vous y reconnaître :

Aliments contenant des glucides

Les produits céréaliers (pain, riz, pâtes, farines et céréales), les fruits, certains légumes, le lait, le yogourt, les noix, les graines, les légumineuses et le beurre d'arachides.

Aliments contenant des protéines

Aliments d'origine animale : toutes les viandes (bœuf, veau, porc, agneau, lapin, orignal, bison...), les volailles (poulet, dinde, canard...), les poissons, les fruits de mer, les œufs, le lait, le fromage et le yogourt.

Aliments d'origine végétale : le tofu, les légumineuses (lentilles, haricots rouges, pois chiches...), les noix, certaines graines, le beurre d'arachides et le tempeh.

Aliments contenant des matières grasses

Choisissez de préférence les aliments contenant de bons gras (gras ayant des effets positifs sur la santé) et limitez votre consommation d'aliments contenant des mauvais gras (gras ayant des effets négatifs sur la santé), tout en surveillant la quantité de gras consommés (trop de bons gras, ce n'est pas mieux).

Les bons gras : les gras monoinsaturés
Sources : huile d'olive, huile de canola, huile de noisette, margarine non hydrogénée, avocats, amandes, arachides naturelles (non salées et non rôties dans l'huile), noix de cajou, pacanes, noix du Brésil et poissons.

Les bons gras : les gras polyinsaturés
Sources : germe de blé, graines de tournesol, huile de sésame, huile de maïs, huile de soya, huile de tournesol, noix de Grenoble, huile de lin, huile de carthame et poissons.

Les mauvais gras : les gras saturés
Il faut modérer votre consommation de gras saturés. Cependant, puisqu'ils se retrouvent à l'intérieur de certains aliments nutritifs, tels la viande et les produits laitiers, il est difficile de les éviter complètement.

Sources : gras de viande et peau de poulet, crème et fromages gras, beurre, lard et saindoux, huile de coco et huile de palme, beurre de cacao et mayonnaise.

Les mauvais gras : les gras trans
Ce sont des gras à éviter. Les gras trans sont de deux à trois fois plus dommageables que les gras saturés pour la santé. Il importe de les identifier et d'éviter les produits qui en contiennent.

Sources : huile végétale hydrogénée, huile végétale partiellement hydrogénée, margarines hydrogénées (margarines ordinaires), shortening, croustilles et frites, pâtisseries et produits de la boulangerie industrielle (beignes, biscuits, craquelins, croissants, muffins et barres tendres).

FRUITS SÉCHÉS, NOIX, GRAINES ET LÉGUMES : DES ALIMENTS CLÉS

Les fruits séchés méritent une place de choix dans votre garde-manger. En plus d'être riches en vitamines et en plusieurs minéraux, les fruits séchés sont également une précieuse source de fibres. Comme petite gâterie d'après-midi, ils n'ont rien à envier aux bonbons ou aux friandises sucrés.

Les noix contiennent beaucoup de vitamines et de minéraux. Elles sont riches en acides gras insaturés (de bons gras) et en protéines. Assurez-vous cependant de leur fraîcheur : l'huile que contiennent les noix tend à s'oxyder et à rancir rapidement. En plus d'en altérer le goût, le vieillissement détruit aussi une partie des qualités nutritives que possèdent les noix fraîches. Il est recommandé d'acheter de préférence des noix en écaille, leur protection naturelle contre le rancissement. Pour les noix écaillées, mieux vaut les faire tremper avant de les consommer : le trempage en augmente la charge enzymatique et réactive le processus de germination, ce qui rend l'aliment beaucoup plus facile à digérer. Puisqu'il est toujours préférable de privilégier la variété et la modération aux excès, sachez qu'une poignée de huit à dix amandes représente une portion convenable qui permet de profiter d'un maximum de valeur nutritive et d'un minimum de gras.

Pour obtenir un maximum de bienfaits, les noix et les graines doivent être crues (ou nature) et de préférence biologiques.

La préparation maison de graines germées ou de pousses est simple et peu coûteuse. Nous vous suggérons, dans notre bibliographie, un ouvrage à ce sujet pour ceux qui souhaitent explorer cet univers. Ici, nous retiendrons simplement que les germinations sont des aliments gagnants dans la course à la saine alimentation.

LES LÉGUMES : UNE COMPOSANTE PRIORITAIRE

Fixez-vous comme objectif de préparer une assiette où les légumes représenteront la moitié de l'ensemble du repas.

Le scénario idéal consiste à cultiver son propre potager et jardin d'herbes biologiques mais, puisque nous n'avons pas tous cette opportunité, nous pouvons nous dénicher de petits producteurs locaux qui pratiquent la culture biologique. Au Québec, le réseau de l'Agriculture soutenue par la communauté (ASC), coordonné par Equiterre (www.equiterre.com), encourage la production biologique locale et, par la même occasion, la santé humaine et le respect de l'environnement. Le regroupement d'agriculteurs permet aux consommateurs d'acheter, à l'avance, une part de la récolte. Cette formule de paniers bio aide les agriculteurs à planifier leur saison et permet de manger bio à un prix abordable[4].

Afin de minimiser les risques d'ingérer des résidus d'herbicides ou de pesticides, prenez le temps de bien laver tous vos légumes, de les brosser ou de les peler s'il y a lieu.

Faites de vos assiettes une célébration de formes et de couleurs en y déposant des légumes frais et variés à chaque repas. Les légumes, tout comme les fruits, sont riches en fibres, en vitamines et en minéraux essentiels à la santé. On les présente de plus en plus comme le meilleur remède contre de nombreuses maladies, notamment certains problèmes cardiaques ou plusieurs cancers. Autant de bonnes raisons de ne pas s'en priver !

LÉGUMINEUSES

Nous laisserons aux ouvrages spécialisés le soin de vous guider dans le trempage ou la germination des légumineuses. Sachez cependant que la mauvaise réputation des légumineuses (celle qui les accuse de provoquer des malaises abdominaux) peut être aisément contournée pour peu que vous preniez soin, au moins une fois, de changer l'eau de trempage de vos haricots secs et que vous fassiez de même avant la cuisson. Quelques graines de cumin ajoutées à l'eau de cuisson ne nuiront pas non plus !

La préparation des salades est l'occasion d'inclure les légumineuses à votre panier d'épicerie. La valeur nutritive des légumineuses est de beaucoup supérieure à bien d'autres aliments. Par exemple, les lentilles sont plus riches en fer que les épinards. Elles contiennent aussi une part importante de protéines, de la vitamine B$_6$, du phosphore et du zinc.

POISSONS ET VIANDES

Au Spa Eastman, nous ne négligeons pas le plaisir de savourer un plat de viande ou de poisson. Comme toujours cependant, nous préconisons avant tout la qualité et la variété. Les petits fournisseurs locaux, qui prônent souvent des approches plus naturelles, voire biologiques, offrent quantité de choix intéressants.

Comme nous vous l'avons précédemment mentionné, le végétarisme a progressivement fait place à une ouverture réfléchie à la consommation de poissons et de viandes. La place privilégiée est accordée aux poissons, dont la valeur nutritive et les bienfaits diététiques sont remarquables. C'est dans la préparation culinaire des espèces, même courantes, que se déploient et se révèlent toutes les saveurs. L'approvisionnement en poissons frais est devenu aisé, ce qui facilite aussi l'option de se laisser guider par la cuisine du marché.

L'élevage biologique a grandement amélioré la qualité des viandes, en particulier en diminuant de façon substantielle leur taux de gras. Préférez toutefois des coupes de viande maigres dont vous enlèverez les surplus de gras avant la cuisson.

Modes de cuisson

En évitant systématiquement les surplus de matières grasses, envisagez sans crainte tous les modes de cuisson, à l'exception, bien sûr, des fritures. Toutefois, lors de la cuisson au barbecue, il importe d'éviter le contact direct de la flamme avec l'aliment.

DESSERTS, COLLATIONS ET PETITS DÉJEUNERS

Ce peut être un défi que de créer des gâteries tout à fait irrésistibles... tout en respectant à la fois, les valeurs nutritives et un apport calorique raisonnable. En effet, tout ajout, retrait, substitution ou diminution de la quantité d'un ingrédient dans la confection d'un dessert, par exemple, en affecte assurément la réaction en cuisson, la texture, le goût, la durée de conservation, etc. En pâtisserie, tout est toujours question d'équilibre entre les ingrédients composant une recette. Au Spa Eastman, nous avons relevé ce défi et voulons vous faire découvrir un monde de saveurs. Et bien oui, il est grand temps de goûter à autre chose que du sucre !

De plus, nous mettons l'accent sur l'apport en fibres et l'utilisation de farines entières, tout en limitant le sucre et les gras. Nous privilégions également les ingrédients biologiques.

Tout cela savamment intégré pour laisser place au festival des papilles !

À L'EAU !

L'eau a toujours fasciné l'être humain. Son usage à des fins thérapeutiques remonterait d'ailleurs à la nuit des temps. Pas étonnant qu'elle soit à l'origine même du mot spa : sanita per aqua — la santé par l'eau.

Le corps humain adulte est composé d'environ 70 % d'eau. On estime que le corps perd deux à trois litres d'eau chaque jour. De ce nombre, au moins un litre est compensé par les aliments que l'on consomme. La différence doit être comblée autrement, en eau essentiellement. En tout temps cependant, n'attendez pas de ressentir la soif : cela signifie que la déshydratation est déjà présente. La quantité, mais aussi la qualité de l'eau que l'on boit a un impact direct sur notre santé générale.

Boire une eau de source naturelle de qualité, c'est-à-dire dont le pH varie entre 6,5 et 7,5, contribue à l'amélioration de notre état de santé général et aussi à la santé de notre peau. Boire un litre d'eau de source lorsqu'on est à jeun, le matin, facilite le transit intestinal; c'est également une excellente façon d'éliminer les toxines tout en hydratant bien le corps. Cela se fait assez facilement lorsque l'on intègre cette habitude à sa routine matinale.

Vous vous motiverez à consommer plus d'eau en variant sa couleur et sa saveur : il suffit d'y plonger quelques tranches d'agrumes, de concombre ou de feuilles de menthe fraîches…

Les eaux minérales naturelles de qualité peuvent aussi être ajoutées à votre panier d'épicerie : certaines eaux minérales peuvent en effet agir à titre de complément en minéraux et en oligo-éléments ou encore comme aide à la digestion.

VINS BIOLOGIQUES, VINS NATURELS

Les plus récentes découvertes, surtout en ce qui concerne le vin rouge dont les propriétés thérapeutiques sont de plus en plus connues et reconnues, viennent solidement étayer la prétention de Pasteur, selon laquelle « le vin est la plus saine et la plus hygiénique des boissons ».

En production vinicole écologique, la culture biologique vise à augmenter l'activité microbienne du sol en évitant d'y ajouter herbicides, fongicides, pesticides ou engrais chimiques. De même, l'on recourt aux insectes prédateurs pour contrer les insectes indésirables. Il existe aussi la culture biodynamique, une culture en accord avec les influences et les cycles bienfaiteurs de la nature, en particulier les cycles lunaires. Quant à la culture raisonnée, elle désigne la gestion préventive et proactive des traitements pour les limiter au strict nécessaire. Ces appellations tendent à évoluer en apportant des précisions quant aux types d'approches retenues pour la culture des « vins naturels ». Il est sage de lire attentivement les étiquettes pour connaître les nuances de chaque appellation.

Pour la vinification, les producteurs de vins naturels évitent d'ajouter des levures chimiques, des enzymes ou des substances destinées à rectifier l'acidité du vin. Seul le sucre bio est utilisé pour la chaptalisation (sucrage du moût en vue d'augmenter la teneur du vin en alcool), l'emploi du soufre étant, par ailleurs, réduit au minimum pour la conservation.

Le Spa Eastman

RECETTES de base

Fond de veau

Préparer un fond maison demande du temps, mais apporte tellement plus de saveur. Congelez votre fond dans des contenants individuels d'une capacité d'environ 250 ml (1 tasse). Vous en aurez toujours sous la main et éviterez ainsi d'avoir recours aux bouillons commerciaux, moins savoureux, mais aussi plus riches en sel et contenant des colorants et autres additifs alimentaires indésirables.

Valeur nutritive par portion de 250 ml (1 tasse)

Énergie :	29 kcal / 120 kJ
Protéines :	5,3 g
Glucides :	1,8 g
Fibres alimentaires :	0,7 g
Matières grasses :	1,5 g
Sodium :	82 mg
Fer :	0,7 mg
Calcium :	22 mg

Préparation
20 min

Cuisson
9 h 30 min

Rendement
4 litres
(16 tasses)

2 kg (4 lb) d'os de veau concassés

1 poireau, lavé et taillé en tronçons

2 oignons espagnols, coupés grossièrement

1 branche de céleri, en tronçons

2 carottes, pelées et taillées en tronçons

2 tomates, en quartiers

5 litres (20 tasses) d'eau froide

1 bouquet garni

2 gousses d'ail

5 grains de poivre

1 Préchauffer le four à 200 °C (400 °F).

2 Étaler les os (secs, non lavés) dans un plat à rôtir sans ajouter de corps gras.

3 Faire colorer les os au four 1 heure ou plus sur la grille du bas.

4 Enlever le surplus de gras et répartir le poireau, les oignons, le céleri, les carottes et les tomates sur les os. Enfourner pour faire colorer environ 30 minutes.

5 Retirer du four et transférer dans une marmite.

6 Déglacer le fond du plat à rôtir avec un peu d'eau afin de récupérer tous les sucs et verser le tout dans la marmite.

7 Mouiller avec l'eau afin de tout couvrir.

8 Ajouter le bouquet garni, l'ail et les grains de poivre.

9 Porter à ébullition en évitant une grande ébullition, car cela trouble le fond. Écumer.

10 Réduire le feu et cuire à découvert 8 heures à feu doux. Remouiller avec de l'eau chaude pendant la cuisson, au besoin, en vue d'obtenir 4 litres (16 tasses) de fond en fin de cuisson.

11 Passer au chinois et réfrigérer.

Pour dégraisser un fond, versez-le dans un récipient et réfrigérez-le; les graisses se solidifient à la surface et se retirent facilement.

Fond de volaille

Préparation
20 min

Cuisson
3 à 4 h

Rendement
3 litres
(12 tasses)

1,2 kg (2 1/2 lb) de carcasses de volaille

4 litres (16 tasses) d'eau froide

1 poireau moyen, lavé et taillé en tronçons

1 oignon espagnol, coupé grossièrement

2 branches de céleri, en tronçons

2 carottes, pelées et taillées en tronçons

1 bouquet garni

5 grains de poivre

1 clou de girofle (facultatif)

1. Faire dégorger les carcasses dans plusieurs eaux froides, puis les concasser grossièrement.

2. Déposer les carcasses dans une marmite.

3. Mouiller avec l'eau et porter à ébullition. Écumer.

4. Ajouter le poireau, l'oignon, le céleri, les carottes, le bouquet garni, les grains de poivre et le clou de girofle (facultatif). Ne pas remuer par la suite, car cela trouble le fond.

5. Réduire le feu et cuire à découvert de 3 à 4 heures à feu doux. Remouiller avec de l'eau chaude pendant la cuisson, au besoin, en vue d'obtenir 3 litres (12 tasses) de fond en fin de cuisson.

6. Passer au chinois et réfrigérer.

Une portion de 250 ml (1 tasse) de bouillon commercial contient plus de 800 mg de sodium alors que la même quantité de ce fond en contient presque dix fois moins, soit aussi peu que 86 mg, contenu naturellement dans les légumes et la viande utilisés pour le préparer. Aucun sel n'a été ajouté à ce fond maison, vous contrôlez donc l'apport en sodium de vos préparations en ajoutant vous-même la quantité de sel désirée. Une personne en santé devrait se limiter à 3 000 mg de sodium par jour alors qu'une personne souffrant d'hypertension ne devrait pas dépasser 2 000 mg par jour. De plus, saviez-vous qu'on peut retrouver du dextrose (sucre), même dans certains des meilleurs bouillons du commerce ?

Valeur nutritive par portion de 250 ml (1 tasse)

Énergie :	17 kcal / 72 kJ
Protéines :	2,5 g
Glucides :	0,9 g
Fibres alimentaires :	0,7 g
Matières grasses :	1,5 g
Sodium :	86 mg
Fer :	0,7 mg
Calcium :	22 mg

On peut confectionner un fond de volaille en remplaçant les carcasses par une volaille entière de 1,5 kg (3 lb). La chair cuite pourra être utilisée pour des salades, des soupes ou toute autre préparation.

Fumet de poisson

L'ajout d'un bouquet garni permet de relever naturellement les saveurs de vos potages et de vos plats mijotés. Pour préparer ce bouquet, placez une branche de thym, une feuille de laurier et quelques branches de persil au centre d'une feuille de vert de poireau. Refermez la feuille de poireau et ficelez le bouquet d'une extrémité à l'autre avant de le nouer.

Valeur nutritive par portion de 250 ml (1 tasse)

Énergie :	15 kcal / 63 kJ
Protéines :	1,7 g
Glucides :	0,8 g
Fibres alimentaires :	0,7 g
Matières grasses :	1,5 g
Sodium :	53 mg
Fer :	0,9 mg
Calcium :	90 mg

Préparation
20 min

Cuisson
30 min

Rendement
2 litres
(8 tasses)

1 kg (2 lb) de parures de poissons blancs (turbot, sole, etc.)*

2 litres (8 tasses) d'eau froide

250 ml (1 tasse) de vin blanc sec

1 blanc de poireau, lavé et émincé finement

1 oignon espagnol, émincé finement

1 carotte, pelée et émincée finement

1 branche de céleri avec ses feuilles, émincée finement

1 bouquet garni

5 grains de poivre

1 Faire dégorger les parures de poissons blancs dans plusieurs eaux froides, puis les concasser.

2 Déposer les parures dans une marmite.

3 Mouiller avec l'eau et le vin blanc et porter à ébullition. Écumer.

4 Ajouter le poireau, l'oignon, la carotte, le céleri, le bouquet garni et les grains de poivre.

5 Réduire le feu et laisser mijoter 30 minutes à découvert sans remuer, car cela trouble le fond.

6 Passer au chinois et réfrigérer.

* ou 1 kg (2 lb) de têtes de homard

On coupe les légumes finement, car la durée de cuisson est plus courte comparativement aux autres fonds. De cette façon, les légumes dégagent plus rapidement leurs saveurs.

Huile aux herbes

Préparation
10 min

Rendement
375 ml
(1 1/2 tasse)

45 ml (3 c. à soupe) de romarin frais
haché grossièrement

45 ml (3 c. à soupe) de thym frais
haché grossièrement

1 petite botte de persil plat frais, lavée
et hachée grossièrement

6 oignons verts, hachés grossièrement

15 ml (1 c. à soupe) d'ail haché
grossièrement

250 ml (1 tasse) d'huile d'olive

sel et poivre, au goût

1 Passer tous les ingrédients 2 minutes au mélangeur.

Choisissez une huile d'olive extra-vierge de qualité. Étant plus riche en vitamine E et en antioxydants que l'huile d'olive raffinée, elle possède de meilleures qualités gustatives et nutritionnelles. L'huile d'olive est constituée à 76 % de gras monoinsaturés, les meilleurs gras pour la santé, contribuant à abaisser le mauvais cholestérol sanguin (LDL), sans affecter le bon cholestérol sanguin (HDL).

Valeur nutritive par portion de 30 ml (2 c. à soupe)

Énergie :	158 kcal / 662 kJ
Protéines :	0,3 g
Glucides :	1,1 g
Fibres alimentaires :	0,5 g
Matières grasses :	17,4 g
Sodium :	23 mg
Fer :	0,7 mg
Calcium :	16 mg

Pour varier le goût, utilisez les herbes fraîches que vous avez sous la main. L'huile aux herbes se conserve au réfrigérateur 1 semaine ou peut être congelée pour un usage ultérieur.

Le Spa Eastman

HORS-D'ŒUVRE

et condiments

Bruschettas aux tomates, aux olives et au fromage de chèvre

Les olives font partie des rares fruits contenant des matières grasses. Quoiqu'il s'agisse surtout de bons gras, une dizaine d'olives équivalent tout de même à une cuillère à soupe d'huile ou 15 g de gras. Il est donc préférable d'utiliser les olives pour parfumer vos mets plutôt que de les consommer en grande quantité.

Valeur nutritive par portion de 3 bruschettas

Énergie :	255 kcal / 1 062 kJ
Protéines :	10,8 g
Glucides :	33,3 g
Fibres alimentaires :	5,7 g
Matières grasses :	10,2 g
Sodium :	453 mg
Fer :	3,0 mg
Calcium :	174 mg

Préparation
20 min

Cuisson
8 min

Rendement
18 bruschettas

1 kg (2 lb) de tomates mûres, évidées et taillées en dés

1 pain baguette de grains entiers

15 ml (1 c. à soupe) d'huile d'olive

15 ml (1 c. à soupe) d'ail haché finement

5 olives noires de Calamata, dénoyautées et hachées grossièrement

45 ml (3 c. à soupe) de basilic frais haché

15 ml (1 c. à soupe) de vinaigre balsamique

1 pointe de piment de Cayenne

sel et poivre, au goût

75 g (environ 2 1/2 oz) de cheddar de chèvre râpé ou de bûchette de chèvre tranchée puis émiettée

poivre du moulin

1 Déposer les tomates en dés dans une passoire et laisser égoutter.

2 Préchauffer le four à 200 °C (400 °F).

3 Pendant ce temps, tailler de biais des tranches de pain baguette de 5 mm (1/4 po) d'épaisseur. Badigeonner légèrement d'huile, déposer sur une plaque et enfourner environ 6 minutes. Retirer du four et laisser refroidir.

4 Dans un bol, mélanger les tomates en dés égouttées, l'ail, les olives, le basilic, le vinaigre balsamique et le piment de Cayenne. Saler et poivrer.

5 Garnir les tranches de pain baguette de la préparation aux tomates et y parsemer le fromage.

6 Enfourner 2 minutes.

7 Donner un tour de moulin à poivre et servir aussitôt.

Une fois le pain grillé, vous pouvez le frotter avec une gousse d'ail épluchée pour en relever le goût avant d'y déposer la préparation.

Œufs aux anchois

Préparation
15 min

Portions
4 à 6

5 œufs cuits durs, coupés grossièrement

15 ml (1 c. à soupe) de câpres, rincées, égouttées et hachées

1 petite boîte de 50 g (1 3/4 oz) de filets d'anchois, rincés et égouttés

1 gousse d'ail, hachée

5 ml (1 c. à thé) de moutarde de Dijon

15 ml (1 c. à soupe) d'huile d'olive

le jus d'un demi-citron

1 pointe de piment de Cayenne

sel et poivre, au goût

3 à 4 endives

quelques pincées de paprika doux

30 ml (2 c. à soupe) de persil plat frais ou de ciboulette fraîche haché finement

1   Passer les œufs, les câpres, les filets d'anchois, l'ail, la moutarde de Dijon, l'huile, le jus de citron et le piment de Cayenne au robot culinaire jusqu'à l'obtention d'une texture homogène, mais ferme (si la préparation est trop ferme, ajouter un filet d'eau). Rectifier l'assaisonnement au besoin (les filets d'anchois étant déjà bien salés, il est possible que la préparation soit suffisamment salée).

2   Couper le pied des endives, enlever le cœur à la base et les effeuiller.

3   Placer la préparation aux œufs dans une poche à pâtisserie munie d'une douille cannelée et remplir les feuilles d'endive à mi-hauteur.

4   Saupoudrer d'un peu de paprika et de persil ou de ciboulette.

Saviez-vous qu'une personne en bonne santé peut consommer jusqu'à 7 œufs par semaine sans que cela nuise à sa santé ? De nombreuses études scientifiques ont démontré qu'une personne qui consomme un œuf par jour avait le même risque de développer des maladies cardiaques qu'une personne consommant seulement un œuf par semaine. Ce ne sont pas les œufs qu'il faut surveiller, mais bien les accompagnements classiques de l'œuf (bacon, saucisses, fèves au lard). Toutefois, les personnes souffrant de maladies cardiaques ou ayant déjà un cholestérol sanguin élevé devraient se limiter à 3 ou 4 œufs par semaine.

Valeur nutritive par portion (donne 6 portions)

Énergie :	115 kcal / 478 kJ
Protéines :	8,5 g
Glucides :	3,0 g
Fibres alimentaires :	1,8 g
Matières grasses :	7,7 g
Sodium :	157 mg
Fer :	1,5 mg
Calcium :	71 mg

Servez aussi en canapés ou avec une salade.

Canapés au chutney de mangue et à l'agneau

Préparation
25 min

Cuisson
6 min

Rendement
environ
24 canapés

1 pain baguette de grains entiers, en tranches de 5 mm (1/4 po) d'épaisseur

1 mangue mûre, pelée, dénoyautée et taillée en petits dés

200 g (7 oz) d'agneau déjà cuit, en dés de 5 mm (1/4 po)

le jus d'un citron

5 ml (1 c. à thé) d'ail haché finement

15 ml (1 c. à soupe) de menthe fraîche hachée finement

22 ml (1 1/2 c. à soupe) d'huile d'olive

5 ml (1 c. à thé) de gingembre frais râpé finement

5 ml (1 c. à thé) de moutarde de Dijon

15 ml (1 c. à soupe) de miel

sel et poivre, au goût

1 Déposer les tranches de pain baguette sur une plaque et enfourner environ 6 minutes à 200 °C (400 °F). Retirer du four et laisser refroidir.

2 Dans un cul-de-poule, mélanger le reste des ingrédients. Rectifier l'assaisonnement au besoin.

3 Garnir les tranches de pain baguette de cette préparation.

4 Servir frais.

En plus d'être riche en vitamines, minéraux et antioxydants, la mangue est également une très bonne source de fibres alimentaires fournissant 2 g de fibres solubles et 2 g de fibres insolubles. Les fibres solubles sont particulièrement efficaces pour procurer un effet de satiété et contrôler le cholestérol sanguin et la glycémie (taux de sucre dans le sang), tandis que les fibres insolubles sont surtout bénéfiques au niveau de la santé intestinale.

Valeur nutritive par portion de 3 canapés

Énergie :	214 kcal / 893 kJ
Protéines :	12,9 g
Glucides :	26,7 g
Fibres alimentaires :	3,4 g
Matières grasses :	7,0 g
Sodium :	279 mg
Fer :	2,2 mg
Calcium :	43 mg

Vous pouvez remplacer l'agneau par du canard ou du poulet.

Pickles aux oignons perlés

De nombreux bienfaits sont attribués au vinaigre de cidre, vinaigre obtenu à partir d'alcool de pomme. De la prévention de l'arthrite, à son rôle au niveau du système immunitaire, en passant par ses effets sur la flore intestinale, le vinaigre de cidre semble miraculeux. Cependant, la recherche est encore nécessaire avant de pouvoir statuer sur les véritables vertus de ce vinaigre. En attendant, pourquoi ne pas l'utiliser pour rehausser vos recettes… après tout, on ne sait jamais !

Valeur nutritive par portion de 80 ml (1/3 tasse)

Énergie :	99 kcal / 414 kJ
Protéines :	0,8 g
Glucides :	18,7 g
Fibres alimentaires :	1,2 g
Matières grasses :	2,9 g
Sodium :	78 mg
Fer :	0,5 mg
Calcium :	25 mg

Préparation
30 min

Cuisson
9 min

Macération
2 jours

Rendement
750 ml
(3 tasses)

2 carottes moyennes (140 g / environ 5 oz), pelées et taillées en tronçons de 1 cm (1/2 po)

1 branche de céleri (80 g / environ 3 oz), en tronçons de 1 cm (1/2 po)

450 g (environ 1 lb) d'oignons perlés, épluchés

30 ml (2 c. à soupe) d'huile d'olive

15 ml (1 c. à soupe) d'ail haché finement

125 ml (1/2 tasse) de vinaigre de cidre

5 ml (1 c. à thé) de curcuma moulu

115 g (1/2 tasse) de sucre de canne fin

125 ml (1/2 tasse) d'oignons verts hachés

sel et poivre, au goût

15 ml (1 c. à soupe) de fécule de marante

125 ml (1/2 tasse) d'eau froide

30 ml (2 c. à soupe) de moutarde de Meaux

1 Dans une casserole d'eau bouillante, cuire les carottes 3 minutes. Ajouter le céleri et les oignons perlés et cuire 4 minutes de plus. Égoutter et rafraîchir à l'eau courante.

2 Dans une poêle, chauffer l'huile et y faire rôtir l'ail légèrement. Ajouter le vinaigre de cidre, le curcuma, le sucre et les oignons verts. Saler et poivrer, puis mélanger. Porter à légère ébullition.

3 Lier avec la fécule délayée dans l'eau. Cuire 2 minutes de plus, jusqu'à légère ébullition, tout en incorporant la moutarde de Meaux et les légumes. Rectifier l'assaisonnement au besoin.

4 Transférer dans un bocal et laisser macérer au réfrigérateur 2 jours.

Servez avec des crudités ou une viande de volaille froide (poulet, dindon, etc.).

Chutney aux tomates et à l'ail

Préparation
10 min

Cuisson
17 min

Traitement des bocaux
15 min

Attente
24 h

Rendement
2 bocaux
de 250 ml
(1 tasse)

45 ml (3 c. à soupe) d'huile d'olive

30 ml (2 c. à soupe) d'ail haché finement

800 g (environ 1 1/2 lb) de tomates, coupées grossièrement

5 ml (1 c. à thé) de graines de fenouil

2 ml (1/2 c. à thé) de cumin moulu

60 ml (4 c. à soupe) d'eau

75 ml (5 c. à soupe) de jus de citron

30 ml (2 c. à soupe) de sucre de canne fin

1 petit piment oiseau, épépiné et haché très finement

sel et poivre, au goût

2 ml (1/2 c. à thé) de fécule de marante

30 ml (2 c. à soupe) d'oignons verts hachés finement

1   Dans une casserole, chauffer l'huile et y faire rôtir l'ail légèrement.

2   Ajouter les tomates, les graines de fenouil, le cumin, 30 ml (2 c. à soupe) d'eau, le jus de citron, le sucre et le piment. Saler et poivrer, puis mélanger. Porter à ébullition, réduire le feu et laisser mijoter 15 minutes à découvert en remuant de temps à autre.

3   Lier avec la fécule délayée dans le reste de l'eau. Incorporer les oignons verts et cuire 2 minutes. Rectifier l'assaisonnement au besoin. Réserver au chaud.

4   Mettre les disques plats en métal à bouillir 5 minutes afin d'en activer le produit de scellage. Verser le chutney chaud dans des bocaux propres et chauds jusqu'à 1 cm (1/2 po) du haut. Retirer les bulles d'air à l'aide d'une spatule et ajuster l'espace de tête, au besoin. Essuyer le pourtour du bocal pour enlever tout résidu collant. Déposer les disques plats en métal. Fermer les bocaux en vissant les bagues jusqu'au point de résistance, sans trop serrer. Traiter les bocaux dans l'eau bouillante 15 minutes (commencer à calculer la durée du traitement à la chaleur quand l'eau commence à bouillir fortement).

5   Retirer les bocaux de la marmite d'eau bouillante. Laisser refroidir 24 heures à la température ambiante.

Le piment oiseau, aussi nommé piri-piri, est un petit piment très fin, mais aussi très fort. Sur l'échelle de Scoville, servant à mesurer l'intensité des piments, le piment oiseau se situe à 9 sur 10 et mérite l'appellation « volcanique ». À titre de comparaison, le chili se situe à 8 sur 10 et le Jalapeño à 6 sur 10. Il est donc important de bien doser ce piment, de respecter les quantités prévues dans les recettes et de se laver les mains après l'avoir manipulé. Dans cette recette, rassurez-vous, le piment relèvera les saveurs du chutney, sans pour autant vous donner des sueurs froides !

Valeur nutritive par portion de 30 ml (2 c. à soupe)

Énergie :	39 kcal / 165 kJ
Protéines :	0,6 g
Glucides :	4,2 g
Fibres alimentaires :	0,7 g
Matières grasses :	2,6 g
Sodium :	17 mg
Fer :	0,3 mg
Calcium :	9 mg

La marmite doit être assez profonde pour que les bocaux soient couverts d'au moins 2,5 cm (1 po) d'eau et être assez grande pour que l'eau puisse bouillir à gros bouillons.

Les disques de métal ne doivent être utilisés qu'une seule fois.

Les couvercles bien scellés se courbent vers le bas.

Conservez au réfrigérateur après l'ouverture.

Servez avec des poissons ou des viandes grillés.

Le Spa Eastman

POTAGES

Potage aux patates douces

Préparation
15 min

Cuisson
35 à 45 min

Portions
6

15 ml (1 c. à soupe) d'huile d'olive

1 gousse d'ail, hachée

2 petits oignons espagnols
(300 g / environ 10 1/2 oz), en cubes

1 branche de céleri (100 g / 3 1/2 oz),
en cubes

2 litres (8 tasses) d'eau froide

2 patates douces (600 g / environ
1 1/4 lb), pelées et taillées
grossièrement en cubes

1 bouquet garni

30 ml (2 c. à soupe) de levure
alimentaire Red Star

sel et poivre, au goût

15 ml (1 c. à soupe) de fécule
de marante

45 ml (3 c. à soupe) d'eau froide

1 Dans une grande casserole, chauffer l'huile et y faire
   suer l'ail, les oignons et le céleri 2 minutes.

2 Mouiller avec 2 litres (8 tasses) d'eau.

3 Ajouter les patates douces, le bouquet garni et la
   levure alimentaire. Saler et poivrer, puis porter à
   ébullition. Réduire le feu et laisser mijoter de 30 à
   40 minutes à découvert. Retirer le bouquet garni.

4 Lier avec la fécule délayée dans 45 ml
   (3 c. à soupe) d'eau. Cuire 2 minutes.

5 Passer au mélangeur jusqu'à l'obtention d'une
   texture lisse.

6 Rectifier l'assaisonnement au besoin.

La levure Red Star est cultivée spécifiquement comme supplément alimentaire. Son goût est très doux comparativement à celui de la levure de bière ou de la levure torula, qui est plus amère. La levure Red Star possède une teneur élevée en protéines de grande qualité et, contrairement aux autres levures, elle est enrichie de vitamine B_{12}, une vitamine souvent déficiente dans l'alimentation végétarienne. Au début, certaines personnes peuvent ressentir des malaises abdominaux. Cet effet s'estompera après quelques semaines d'utilisation. À consommer avec modération. Les gens souffrant de goutte ou de candidose (infection aux candidas) devraient s'abstenir.

Valeur nutritive par portion

Énergie :	147 kcal / 612 kJ
Protéines :	3,7 g
Glucides :	28,5 g
Fibres alimentaires :	4,9 g
Matières grasses :	2,6 g
Sodium :	111 mg
Fer :	1,4 mg
Calcium :	52 mg

Saupoudrez d'un peu de poudre de cacao non sucrée au moment de servir.

Potage aux panais

Le panais, légèrement jaunâtre, ressemble physiquement à la carotte. Toutefois, il contient deux fois plus de glucides que la carotte, ce qui lui donne une saveur plus douce et sucrée. Rassurez-vous, les glucides du panais, comme ceux de la carotte, sont de bonne qualité donc, nécessaires au bon fonctionnement de l'organisme. Le panais contient aussi deux fois plus de fibres que la carotte en plus d'être une excellente source d'acide folique et de potassium.

Valeur nutritive par portion

Énergie :	120 kcal / 501 kJ
Protéines :	3,1 g
Glucides :	22,6 g
Fibres alimentaires :	5,6 g
Matières grasses :	2,8 g
Sodium :	66 mg
Fer :	1,6 mg
Calcium :	55 mg

Préparation
15 min

Cuisson
40 min

Portions
6

15 ml (1 c. à soupe) d'huile d'olive

1 petit oignon espagnol (200 g / 7 oz), en cubes

1 petit blanc de poireau (100 g / 3 1/2 oz), lavé et taillé en morceaux de 5 mm (1/4 po) d'épaisseur

1 gousse d'ail, hachée finement

1 branche de céleri (100 g / 3 1/2 oz), en cubes

2 litres (8 tasses) d'eau froide

4 à 5 panais (450 g / environ 1 lb), pelés et taillés en cubes

1 bouquet garni

30 ml (2 c. à soupe) de levure alimentaire Red Star

sel et poivre, au goût

15 ml (1 c. à soupe) de fécule de marante

45 ml (3 c. à soupe) d'eau froide

1   Dans une grande casserole, chauffer l'huile et y faire suer l'oignon, le poireau, l'ail et le céleri 2 minutes.

2   Mouiller avec 2 litres (8 tasses) d'eau.

3   Ajouter les panais, le bouquet garni et la levure alimentaire. Saler et poivrer, puis porter à ébullition. Réduire le feu et laisser mijoter 35 minutes à découvert. Retirer le bouquet garni.

4   Lier avec la fécule délayée dans 45 ml (3 c. à soupe) d'eau. Cuire 2 minutes.

5   Passer au mélangeur jusqu'à l'obtention d'une texture lisse.

6   Rectifier l'assaisonnement au besoin.

Parsemez d'un peu d'estragon frais émincé finement et de poivre du moulin au moment de servir.

Potage aux poivrons rouges

Préparation
15 min

Cuisson
30 min

Portions
6

15 ml (1 c. à soupe) d'huile d'olive

1 petit oignon rouge (200 g / 7 oz), en cubes

3 gousses d'ail, hachées finement

1 branche de céleri (100 g / 3 1/2 oz), en cubes

3 poivrons rouges (600 g / environ 1 1/4 lb), en cubes

1 petite branche de thym frais, hachée finement

1 petite branche de romarin frais, hachée finement

1 petite branche de persil plat frais, hachée finement

2 litres (8 tasses) d'eau froide

15 ml (1 c. à soupe) de paprika doux

1 pointe de piment de Cayenne

30 ml (2 c. à soupe) de levure alimentaire Red Star

sel et poivre, au goût

15 ml (1 c. à soupe) de fécule de marante

45 ml (3 c. à soupe) d'eau froide

1. Dans une grande casserole, chauffer l'huile et y faire suer l'oignon, l'ail, le céleri et les poivrons avec le thym, le romarin et le persil 2 minutes.

2. Mouiller avec 2 litres (8 tasses) d'eau.

3. Ajouter le paprika, le piment de Cayenne et la levure alimentaire. Saler et poivrer, puis porter à ébullition. Réduire le feu et laisser mijoter 25 minutes à découvert.

4. Lier avec la fécule délayée dans 45 ml (3 c. à soupe) d'eau. Cuire 2 minutes.

5. Passer au mélangeur jusqu'à l'obtention d'une texture lisse, puis au chinois.

6. Rectifier l'assaisonnement au besoin avec le sel, le poivre et le piment de Cayenne.

Sa belle couleur jaune et son goût subtil de fromage font de la levure alimentaire un assaisonnement idéal pour les salades, les soupes, les pâtes alimentaires et les plats mijotés. Chaque 15 ml (1 c. à soupe) de levure ajoutera environ 5 g de protéines à votre recette. La levure Red Star est cultivée sur de la mélasse enrichie provenant de la canne et de la betterave à sucre. Une fois la levure multipliée, elle est séchée et mise en flocons. Contrairement à la levure utilisée en boulangerie, la levure Red Star se conserve sans problème à la température ambiante pendant plusieurs semaines, à condition qu'elle soit à l'abri de l'air et de l'humidité. Sachez que cette levure étant inactivée, elle ne peut pas servir à faire lever une pâte.

Valeur nutritive par portion

Énergie :	85 kcal / 358 kJ
Protéines :	3,2 g
Glucides :	13,9 g
Fibres alimentaires :	4,2 g
Matières grasses :	3,0 g
Sodium :	58 mg
Fer :	1,6 mg
Calcium :	30 mg

Ce potage est délicieux servi avec une ou deux pincées d'estragon ou de basilic frais haché.

Potage au cresson

L'ajout d'une pomme de terre à un potage permet d'épaissir ce dernier sans ajouter de crème. On limite ainsi l'ajout de matières grasses sans affecter le goût ou la texture onctueuse du produit fini.

Valeur nutritive par portion

Énergie :	89 kcal / 372 kJ
Protéines :	3,7 g
Glucides :	14,3 g
Fibres alimentaires :	2,7 g
Matières grasses :	2,6 g
Sodium :	83 mg
Fer :	1,2 mg
Calcium :	65 mg

Préparation
15 min

Cuisson
30 min

Portions
6

15 ml (1 c. à soupe) d'huile d'olive

1 petit oignon espagnol (150 g / 5 oz), en cubes

1 branche de céleri (100 g / 3 1/2 oz), en cubes

1 grosse carotte (100 g / 3 1/2 oz), pelée et taillée en cubes

1 gousse d'ail, hachée

2 litres (8 tasses) d'eau froide

1 pomme de terre (250 g / 8 oz), pelée et taillée en cubes

1 branche de persil plat frais

30 ml (2 c. à soupe) de levure alimentaire Red Star

sel et poivre, au goût

1 botte de cresson (200 g / 7 oz), lavée et hachée grossièrement

1   Dans une grande casserole, chauffer l'huile et y faire suer l'oignon, le céleri, la carotte et l'ail 2 minutes.

2   Mouiller avec l'eau.

3   Ajouter la pomme de terre, le persil et la levure alimentaire. Saler et poivrer, puis porter à ébullition. Réduire le feu et laisser mijoter 25 minutes à découvert.

4   Incorporer le cresson et retirer du feu.

5   Passer au mélangeur jusqu'à l'obtention d'une texture lisse.

6   Rectifier l'assaisonnement au besoin.

Le cresson emprisonne sable et terre. Mettez-le dans un bol assez grand afin de pouvoir le recouvrir d'eau. Laissez tremper, puis secouez doucement (recommencez, au besoin).

Vous pouvez remplacer la levure alimentaire et le cube pour bouillon aux légumes dans tous les potages par du fond de volaille (p. 21), si vous en aimez la saveur, ou du bouillon de légumes maison (p. 45). Remplacez simplement la quantité d'eau froide par une même quantité de fond de volaille ou de bouillon de légumes.

Soupe à l'échalote

Préparation
20 min

Cuisson
30 min

Portions
6

15 ml (1 c. à soupe) d'huile d'olive

500 g (environ 1 lb) d'échalotes françaises, hachées finement

2 gousses d'ail, hachées finement

15 ml (1 c. à soupe) de miel

125 ml (1/2 tasse) de vin blanc sec

125 ml (1/2 tasse) de vin rouge

2 litres (8 tasses) d'eau froide

2 branches de thym frais

2 branches de persil plat frais

1 feuille de laurier

1 cube pour bouillon aux légumes

sel et poivre, au goût

15 ml (1 c. à soupe) de fécule de marante

30 ml (2 c. à soupe) de vinaigre balsamique

30 ml (2 c. à soupe) de tamari

1. Dans une grande casserole, chauffer l'huile et y faire suer les échalotes et l'ail 3 minutes.

2. Ajouter le miel, mélanger et faire colorer légèrement les échalotes.

3. Mouiller avec le vin blanc, le vin rouge et l'eau.

4. Ajouter les branches de thym et de persil, la feuille de laurier et le cube pour bouillon aux légumes. Saler et poivrer, puis porter à ébullition. Réduire le feu et laisser mijoter 25 minutes à découvert.

5. Retirer les branches de thym et de persil et la feuille de laurier.

6. Lier avec la fécule délayée dans le vinaigre balsamique et le tamari. Cuire 2 minutes.

7. Rectifier l'assaisonnement au besoin.

Le tamari est un condiment remarquable. D'origine japonaise, il est confectionné à partir de fèves de soya, d'eau et de sel de mer qui ont fermenté pendant plusieurs mois, ce qui lui confère un goût des plus intéressants. Le tamari est à peine moins salé que la sauce soya, mais ne contient pas de blé, contrairement à celle-ci. Il est essentiel de choisir un tamari de qualité, produit de façon traditionnelle, comparativement aux tamaris bon marché auxquels on ajoute des additifs afin de reproduire le goût et la couleur de façon synthétique, sans traverser le long processus de fermentation. Utilisez-le modérément à cause de sa teneur élevée en sel.

Valeur nutritive par portion

Énergie :	132 kcal / 552 kJ
Protéines :	3,1 g
Glucides :	19,8 g
Fibres alimentaires :	0,2 g
Matières grasses :	2,5 g
Sodium :	479 mg
Fer :	1,5 mg
Calcium :	42 mg

Au moment de servir, parsemez de menthe fraîche hachée finement.

Soupe de canard, d'endives et de pommes caramélisées

Préparation
25 min

Cuisson
25 min

Portions
6

30 ml (2 c. à soupe) d'huile d'olive

2 pommes (de type Golden), pelées, évidées et taillées en dés de 5 mm (1/4 po)

30 ml (2 c. à soupe) de sucre de canne fin

15 ml (1 c. à soupe) de vinaigre de vin rouge

5 échalotes françaises (150 g / 5 oz), hachées finement

2 gousses d'ail, hachées finement

1 branche de céleri (80 g / environ 3 oz), en brunoise

2 litres (8 tasses) de fond de volaille

1 feuille de laurier

10 ml (2 c. à thé) de gingembre frais râpé finement*

1 pointe de piment de Cayenne

sel et poivre, au goût

1 poitrine de canard, dégraissée et taillée en cubes de 1 cm (1/2 po)

2 endives (150 g / 5 oz)

30 ml (2 c. à soupe) d'oignons verts hachés finement

30 ml (2 c. à soupe) de sauce teriyaki

15 ml (1 c. à soupe) de fécule de marante

30 ml (2 c. à soupe) de tamari

30 ml (2 c. à soupe) de vinaigre balsamique

1 Dans une grande casserole, chauffer 15 ml (1 c. à soupe) d'huile et y faire revenir les pommes 3 minutes en remuant pour faire colorer toutes les surfaces. Saupoudrer le sucre sur les pommes et remuer à feu vif pour les caraméliser. Mouiller avec le vinaigre de vin rouge et retirer du feu. Bien mélanger et débarrasser sur une assiette.

2 Dans la même casserole, verser le reste de l'huile et y faire suer les échalotes, l'ail et le céleri 2 minutes. Mouiller avec le fond de volaille. Ajouter la feuille de laurier, le gingembre et le piment de Cayenne. Saler et poivrer, puis porter à ébullition. Réduire le feu et laisser mijoter 15 minutes à découvert.

3 Pendant ce temps, bien chauffer une poêle, puis y sauter les cubes de canard 3 minutes. Saler et poivrer, puis débarrasser sur une assiette.

4 Couper le pied des endives, les tailler en deux sur la longueur, enlever le cœur à la base, puis les émincer.

5 Dans la grande casserole, ajouter les oignons verts, les endives, la sauce teriyaki et les pommes. Retirer la feuille de laurier.

6 Lier avec la fécule délayée dans le tamari et le vinaigre balsamique. Ajouter les cubes de canard et cuire 3 minutes.

7 Rectifier l'assaisonnement au besoin avec le sel, le poivre et le piment de Cayenne.

Les feuilles croquantes et légèrement amères de l'endive ajoutent du piquant à vos recettes. Crue ou braisée, l'endive est une excellente source d'acide folique, une vitamine essentielle pour la femme enceinte ou celle prévoyant le devenir ; une carence en acide folique pouvant provoquer de graves malformations chez le fœtus.

Valeur nutritive par portion

Énergie :	156 kcal / 653 kJ
Protéines :	8,0 g
Glucides :	20,0 g
Fibres alimentaires :	2,7 g
Matières grasses :	7,2 g
Sodium :	745 mg
Fer :	2,5 mg
Calcium :	68 mg

Pour râper finement le gingembre, congelez-le et râpez-le ensuite, sans le peler. L'intensité de sa saveur varie selon le moment où on l'ajoute à la cuisson. Elle atteindra son maximum si on ajoute le gingembre en fin de cuisson et sera plus discrète s'il est intégré en début de cuisson.

Vous pouvez réaliser cette recette en remplaçant les pommes par des poires.

Soupe aux champignons

Le champignon shiitake constitue une excellente source d'acide pantothénique (vitamine B_5), vitamine bénéfique au niveau de la santé du cœur et du bon fonctionnement du système nerveux d'où son surnom de « vitamine anti-stress ». Le shiitake séché est à la fois plus économique et pratique, sans perdre de valeur nutritive. On peut l'ajouter directement aux soupes et aux plats mijotés ou le réhydrater avant de l'ajouter aux salades et aux canapés.

Valeur nutritive par portion

Énergie :	85 kcal / 354 kJ
Protéines :	4,7 g
Glucides :	12,7 g
Fibres alimentaires :	2,3 g
Matières grasses :	2,8 g
Sodium :	636 mg
Fer :	1,8 mg
Calcium :	34 mg

Préparation 20 min

Cuisson 25 min

Portions 6

15 ml (1 c. à soupe) d'huile d'olive

2 à 3 échalotes françaises (100 g / 3 1/2 oz), hachées finement

3 gousses d'ail, hachées finement

1 petit blanc de poireau (100 g / 3 1/2 oz), lavé et émincé finement

1 branche de céleri (100 g / 3 1/2 oz), hachée finement

750 ml (3 tasses) de champignons blancs (de Paris) (220 g / environ 7 1/2 oz), émincés finement

750 ml (3 tasses) de pleurotes (220 g / environ 7 1/2 oz), émincés finement

2 litres (8 tasses) d'eau froide

80 ml (1/3 tasse) de champignons shiitake séchés (10 g / environ 1/4 oz), émiettés grossièrement (facultatif)

1 cube pour bouillon aux légumes

15 ml (1 c. à soupe) de basilic frais haché

1 petite branche de thym frais, hachée

1 petite branche de romarin frais, hachée

sel et poivre, au goût

15 ml (1 c. à soupe) de fécule de marante

45 ml (3 c. à soupe) de tamari

1 Dans une grande casserole, chauffer l'huile et y faire suer les échalotes, l'ail, le poireau, le céleri, les champignons blancs et les pleurotes 2 minutes.

2 Mouiller avec l'eau.

3 Ajouter les champignons shiitake séchés (facultatif), le cube pour bouillon aux légumes, le basilic, le thym et le romarin. Saler et poivrer, puis porter à ébullition. Réduire le feu et laisser mijoter 20 minutes à découvert.

4 Lier avec la fécule délayée dans le tamari. Cuire 2 minutes.

5 Rectifier l'assaisonnement au besoin.

Parsemez de quelques feuilles de basilic frais hachées au moment de servir.

Soupe de poissons

Préparation
25 min

Cuisson
50 min

Portions
6

30 ml (2 c. à soupe) d'huile d'olive

I oignon espagnol moyen (250 g / 8 oz), en cubes

I bulbe de fenouil (250 g / 8 oz), en cubes

I petit blanc de poireau (100 g / 3 1/2 oz), lavé et taillé en tronçons

I branche de céleri (100 g / 3 1/2 oz), en cubes

I carotte moyenne (80 g / environ 3 oz), pelée et taillée en tronçons

6 gousses d'ail, hachées

250 ml (I tasse) de vin blanc sec

I litre (4 tasses) de fumet de poisson

500 ml (2 tasses) d'eau froide

500 ml (2 tasses) de tomates bien mûres concassées

350 g (environ 12 oz) de chair de poissons blancs (aiglefin, morue, turbot, etc.)

150 g (5 oz) de saumon, sans la peau

I ml (1/4 c. à thé) de safran

I bouquet garni

I pointe de piment de Cayenne

sel et poivre, au goût

I   Dans une grande casserole, chauffer l'huile et y faire suer l'oignon, le fenouil, le poireau, le céleri, la carotte et l'ail 3 minutes.

2   Mouiller avec le vin blanc, le fumet de poisson et l'eau.

3   Ajouter les tomates, la chair de poissons blancs, le saumon, le safran, le bouquet garni et le piment de Cayenne. Saler et poivrer, puis porter à ébullition. Réduire le feu et laisser mijoter 45 minutes à découvert. Retirer le bouquet garni.

4   Passer au mélangeur jusqu'à l'obtention d'une texture lisse, puis au chinois en foulant avec une petite louche et en prenant soin d'arrêter l'opération avant de faire passer les quelques dernières cuillères au travers du chinois*.

5   Rectifier l'assaisonnement au besoin avec le sel, le poivre et le piment de Cayenne.

Le safran est à la fois l'épice la plus ancienne et la plus dispendieuse utilisée en cuisine. Le safran provient d'une fleur, le crocus. Il faut en moyenne 10 000 fleurs pour obtenir 50 g de safran. C'est ce qui explique que le safran est souvent falsifié. On y mélange différentes fleurs et on y ajoute du colorant afin de reproduire la couleur rouge écarlate, caractéristique du safran. Un faux safran ne reproduira jamais le goût authentique du safran.

Valeur nutritive par portion

Énergie :	253 kcal / 1 060 kJ
Protéines :	21,4 g
Glucides :	15,8 g
Fibres alimentaires :	3,6 g
Matières grasses :	9,0 g
Sodium :	156 mg
Fer :	2,2 mg
Calcium :	137 mg

* On arrête cette opération avant la fin pour ne pas fouler trop de chair de poissons au travers du chinois, ce qui donnerait à la soupe une texture pâteuse.

Vous pouvez servir cette soupe avec quelques croûtons maison. Pour préparer les croûtons : taillez de biais quelques tranches de pain baguette de grains entiers de 5 mm (1/4 po) d'épaisseur, badigeonnez légèrement d'huile, déposez sur une plaque et enfournez environ 6 minutes à 200 °C (400 °F). À la sortie du four, frottez avec une gousse d'ail épluchée.

Soupe jardinière au miso et à l'orge

Préparation
25 min

Cuisson
30 min

Portions
6

15 ml (1 c. à soupe) d'huile d'olive

1 petit oignon espagnol (200 g / 7 oz), en brunoise

2 gousses d'ail, hachées finement

1 branche de céleri (100 g / 3 1/2 oz), en brunoise

2 carottes moyennes (150 g / 5 oz), pelées et taillées en brunoise

1 panais (100 g / 3 1/2 oz), pelé et taillé en brunoise

1 blanc de poireau (150 g / 5 oz), lavé et taillé en brunoise

1/2 navet blanc « rabiole » (60 g / 2 oz), pelé et taillé en brunoise

2 litres (8 tasses) d'eau froide

1 cube pour bouillon aux légumes

1 branche de thym frais, hachée finement

1/2 branche de romarin frais, hachée finement

1 feuille de laurier

125 ml (1/2 tasse) d'orge mondé

5 ml (1 c. à thé) de paprika doux

poivre, au goût

15 ml (1 c. à soupe) de fécule de marante

30 ml (2 c. à soupe) d'eau froide

15 ml (1 c. à soupe) de tamari

60 ml (1/4 tasse) de miso biologique

60 ml (1/4 tasse) de persil plat frais haché finement

1 Dans une grande casserole, chauffer l'huile et y faire suer l'oignon, l'ail, le céleri, les carottes, le panais, le poireau et le navet blanc 3 minutes.

2 Mouiller avec 2 litres (8 tasses) d'eau.

3 Ajouter le cube pour bouillon aux légumes, le thym, le romarin, la feuille de laurier, l'orge et le paprika. Poivrer, puis porter à ébullition. Réduire le feu et laisser mijoter 25 minutes à découvert ou jusqu'à ce que l'orge soit cuit. Retirer la feuille de laurier.

4 Lier avec la fécule délayée dans 30 ml (2 c. à soupe) d'eau et le tamari. Cuire 2 minutes.

5 Retirer du feu. Incorporer le miso et le persil.

6 Rectifier l'assaisonnement au besoin avec le poivre.

D'origine japonaise, le miso est une pâte fermentée composée de fèves de soya, de riz ou d'orge et de sel. Le miso contient une flore bactérienne riche en enzymes, ce qui contribue à une bonne digestion des aliments. Il peut remplacer le sel ou le tamari dans la plupart des recettes et fait d'excellents bouillons. Le miso se conserve pendant un an dans un contenant hermétique au réfrigérateur.

Privilégiez les versions biologiques et réduites en sodium des cubes pour bouillon aux légumes offertes dans les magasins d'alimentation naturelle. Si vous désirez préparer votre bouillon de légumes maison, simplement mettre 2 carottes, 2 poireaux (avec la partie verte), 2 branches de céleri (avec les feuilles), coupés en tronçons, 2 oignons coupés grossièrement, 1 bouquet garni et 1,5 litre (6 tasses) d'eau froide dans une marmite. Porter à ébullition, réduire le feu et laisser mijoter 30 minutes à découvert. Passer au chinois.

Valeur nutritive par portion

Énergie :	168 kcal / 700 kJ
Protéines :	5,3 g
Glucides :	30,1 g
Fibres alimentaires :	6,6 g
Matières grasses :	3,9 g
Sodium :	736 mg
Fer :	2,1 mg
Calcium :	68 mg

Évitez de cuire le miso, car la cuisson détruit les enzymes qu'il contient. Ajoutez-le en fin de cuisson lorsque l'ébullition est terminée. De préférence, délayez préalablement le miso dans une petite quantité de bouillon ou d'eau chaude.

Soupe froide de légumes au cari

On sous-estime souvent le brocoli. Loin d'être banal, il regorge de vitamines et de minéraux et est particulièrement riche en vitamine C, vitamine aidant à l'absorption du fer contenu dans les aliments. Le brocoli possède également des propriétés anticancérigènes, dues à sa teneur élevée en bêta-carotène et autres pigments antioxydants.

Valeur nutritive par portion

Énergie :	101 kcal / 420 kJ
Protéines :	4,9 g
Glucides :	15,6 g
Fibres alimentaires :	4,4 g
Matières grasses :	3,9 g
Sodium :	467 mg
Fer :	1,8 mg
Calcium :	68 mg

Préparation
25 min

Cuisson
20 min

Réfrigération
2 h

Portions
6

15 ml (1 c. à soupe) d'huile d'olive

1 oignon espagnol moyen (250 g / 8 oz), haché finement

2 gousses d'ail, hachées finement

22 ml (1 1/2 c. à soupe) de cari en poudre doux

750 ml (3 tasses) de tomates bien mûres en cubes

1 litre (4 tasses) de fond de volaille

500 ml (2 tasses) d'eau froide

1 petit poivron vert (150 g / 5 oz), en brunoise

1 petit poivron jaune ou rouge (150 g / 5 oz), en brunoise

1 carotte moyenne (75 g / environ 2 1/2 oz), pelée et taillée en brunoise

1 branche de céleri (100 g / 3 1/2 oz), en brunoise

250 ml (1 tasse) de bouquets de brocoli en petits morceaux (100 g / 3 1/2 oz)

15 ml (1 c. à soupe) de vinaigre balsamique

30 ml (2 c. à soupe) de tamari

sel et poivre, au goût

15 ml (1 c. à soupe) de coriandre fraîche hachée

1 Dans une grande casserole, chauffer l'huile et y faire suer l'oignon et l'ail 2 minutes. Ajouter le cari et cuire 1 minute de plus en remuant.

2 Ajouter les tomates et mélanger.

3 Mouiller avec le fond de volaille et l'eau.

4 Ajouter les poivrons, la carotte et le céleri, puis porter à ébullition. Réduire le feu et laisser mijoter 10 minutes à découvert.

5 Ajouter le brocoli et cuire 5 minutes de plus. Retirer du feu.

6 Ajouter le vinaigre balsamique et le tamari. Saler et poivrer, puis bien mélanger.

7 Réfrigérer 2 heures.

8 Vérifier l'assaisonnement. Parsemer d'un peu de coriandre et servir aussitôt.

Vous pouvez incorporer du poulet cuit taillé en dés.

Idéalement, pour le service, utilisez des assiettes creuses préalablement refroidies au congélateur.

Gaspacho

Préparation
25 min

Réfrigération
2 à 3 h

Portions
6

3 poivrons rouges (600 g / environ
1 1/4 lb), en cubes

3 gousses d'ail, hachées

500 ml (2 tasses) de tomates fraîches
concassées

1 branche de céleri (100 g / 3 1/2 oz),
en cubes

1 concombre anglais (450 g / environ
1 lb), pelé, coupé en deux sur la
longueur, épépiné et taillé en cubes

250 ml (1 tasse) de cresson (80 g /
environ 3 oz), lavé et haché

750 ml (3 tasses) d'eau froide

250 ml (1 tasse) de jus d'orange

le jus d'un citron

30 ml (2 c. à soupe) d'huile d'olive

5 ml (1 c. à thé) de paprika doux

sel et poivre, au goût

1 pointe de piment de Cayenne

quelques feuilles de cresson

1. Passer tous les ingrédients au mélangeur, sauf les quelques feuilles de cresson, jusqu'à l'obtention d'une texture lisse.

2. Rectifier l'assaisonnement au besoin avec le sel, le poivre et le piment de Cayenne.

3. Réfrigérer de 2 à 3 heures.

4. Vérifier l'assaisonnement. Garnir de quelques feuilles de cresson et servir aussitôt.

Le gaspacho est une excellente façon de consommer des crudités.

Le cresson est l'un des légumes verts les plus riches en vitamines et minéraux, encore plus que l'épinard. Il est particulièrement riche en vitamine A, une vitamine jouant un rôle important dans la vision, mais aussi au niveau de la croissance des os et de la reproduction. Consommez-le cru ou cuit. Cependant, si vous l'ajoutez à la cuisson d'une recette, faites-le à la toute dernière minute afin de limiter la perte de valeur nutritive.

Valeur nutritive par portion

Énergie :	115 kcal / 480 kJ
Protéines :	2,9 g
Glucides :	16,5 g
Fibres alimentaires :	3,9 g
Matières grasses :	5,3 g
Sodium :	66 mg
Fer :	1,1 mg
Calcium :	58 mg

Cette soupe peut être servie parsemée de quelques croûtons de pain taillés en cubes et rissolés à l'huile d'olive très chaude. Idéalement, utilisez des assiettes creuses préalablement refroidies au congélateur.

Le Spa Eastman

SALADES
et vinaigrettes

Salade d'haricots de Lima au basilic et aux poivrons grillés

Les haricots de Lima, comme toutes les légumineuses, sont une bonne source de protéines, donc d'excellents substituts à la viande. Pourquoi ne pas en faire cuire une plus grande quantité et les congeler ? Les haricots congelés seront ainsi plus fermes et moins salés que ceux en conserve, mais tout aussi pratiques et rapides à préparer.

Valeur nutritive par portion

Énergie : 158 kcal / 661 kJ
Protéines : 3,3 g
Glucides : 14,3 g
Fibres alimentaires : 3,8 g
Matières grasses : 10,6 g
Sodium : 65 mg
Fer : 1,7 mg
Calcium : 32 mg

Trempage
8 à 12 h

Préparation
40 min

Cuisson
1 h 15 min

Portions
8

375 ml (1 1/2 tasse) d'haricots de Lima (petits grains), mis à tremper de 8 à 12 heures

3 poivrons (2 rouges et 1 jaune ou 1 vert) (750 g / 1 1/2 lb), en triangles de 2,5 x 5 cm (1 x 2 po)

10 ml (2 c. à thé) d'huile d'olive

1/2 petit oignon rouge (100 g / 3 1/2 oz), haché finement

1 petit radicchio

30 ml (2 c. à soupe) de vinaigre balsamique

le jus d'un citron

sel et poivre, au goût

quelques feuilles de basilic frais

Huile aux herbes

un petit bouquet de basilic frais (environ 40 g / environ 1 1/2 oz), haché grossièrement

3 à 4 branches de persil plat frais, hachées grossièrement

2 oignons verts, hachés grossièrement

15 ml (1 c. à soupe) d'ail haché grossièrement

80 ml (1/3 tasse) d'eau

80 ml (1/3 tasse) d'huile d'olive

sel et poivre, au goût

1 Dans une casserole, verser de l'eau froide et ajouter les haricots de Lima. Porter à ébullition et cuire 1 heure 15 minutes, jusqu'à ce qu'ils soient tendres. Égoutter et réfrigérer.

2 Entre-temps, préchauffer le four à gril (*broil*).

3 Passer les ingrédients de l'huile aux herbes 2 minutes au mélangeur.

4 Dans un cul-de-poule, mélanger les poivrons avec la moitié de l'huile aux herbes, les étaler sur une plaque et les passer de 6 à 7 minutes sous le gril du four pour les faire colorer en les retournant à mi-cuisson. Retirer du four et laisser refroidir.

5 Dans une poêle, chauffer 10 ml (2 c. à thé) d'huile d'olive et y sauter l'oignon 2 minutes. Débarrasser sur une assiette et laisser refroidir.

6 Couper le radicchio en deux, enlever le cœur, tailler en gros morceaux et les séparer.

7 Dans un cul-de-poule, bien mélanger les haricots de Lima, le radicchio, le reste de l'huile aux herbes, l'oignon, les poivrons, le vinaigre balsamique et le jus de citron. Saler et poivrer.

8 Dresser dans un plat de service et parsemer de quelques feuilles de basilic.

Salade de pâtes au fenouil et aux aubergines grillés

Préparation
45 min

Cuisson
40 min

Portions
8

350 g (environ 12 oz) de rotini de riz brun ou d'autres pâtes courtes

2 aubergines (700 g / environ 1 1/2 lb), en tranches de 5 mm (1/4 po) d'épaisseur

2 bulbes de fenouil (400 g / environ 14 oz)

10 ml (2 c. à thé) d'ail haché finement

100 g (3 1/2 oz) d'olives noires de Calamata

50 g (1 3/4 oz) de tomates séchées, réhydratées et émincées

le jus de 2 citrons

30 ml (2 c. à soupe) de vinaigre balsamique

125 g (4 oz) de feta de chèvre, en dés

30 à 45 ml (2 à 3 c. à soupe) d'eau

sel et poivre, au goût

45 ml (3 c. à soupe) d'aneth frais haché finement

Huile aux herbes

2 petites branches de thym frais, hachées grossièrement

1 petite branche de romarin frais, hachée grossièrement

6 feuilles de basilic frais, hachées grossièrement

2 branches d'aneth frais, hachées grossièrement

2 branches de persil plat frais, hachées grossièrement

1 gousse d'ail, hachée grossièrement

125 ml (1/2 tasse) d'eau

80 ml (1/3 tasse) d'huile d'olive

sel et poivre, au goût

1 Dans une grande marmite d'eau bouillante, cuire les pâtes de 8 à 10 minutes ou jusqu'à ce qu'elles soient *al dente*. Égoutter et transférer sur une plaque. Arroser d'un filet d'eau froide et réfrigérer.

2 Préchauffer le four à 220 °C (425 °F).

3 Passer les ingrédients de l'huile aux herbes 2 minutes au mélangeur.

4 Passer les aubergines dans un tiers de l'huile aux herbes en les retournant pour bien les enrober d'huile. Couper les bulbes de fenouil en deux sur la longueur, enlever le cœur, séparer les feuilles et les passer dans un autre tiers de l'huile aux herbes. Étaler les légumes sur une plaque et enfourner 30 minutes en les retournant à mi-cuisson. Retirer du four, transférer sur une autre plaque et laisser refroidir. Émincer sur la largeur.

5 Dans une petite poêle, rôtir* l'ail avec un filet d'huile d'olive.

6 Dans une petite casserole, mettre les olives dans de l'eau froide, puis porter à ébullition. Retirer du feu et rincer à l'eau froide. Les dénoyauter et les hacher.

7 Dans un plat de service, mélanger les pâtes, les aubergines, le fenouil, les tomates, les olives, le reste de l'huile aux herbes, le jus de citron, le vinaigre balsamique, la feta, l'ail et l'eau. Saler et poivrer. Parsemer d'aneth et servir.

Veuillez diminuer la quantité de sel dans votre salade, car les olives et la feta sont également salées.

* Rôtir l'ail aide à en relever la saveur. Toutefois, ne le faites pas trop colorer, car celui-ci pourrait prendre un goût amer.

Cette salade sera encore plus nutritive saupoudrée de quelques algues séchées ou réhydratées. La valeur nutritive des algues varie selon les espèces, mais la plupart se distinguent par leur teneur en potassium, en calcium et en fer. Il y aurait près de 25 000 algues différentes dont 40 à 50 sont comestibles. L'aramé, le wakamé, les hijikis et la dulse sont les variétés les plus connues. Conservez les algues séchées dans des contenants hermétiques à l'abri de l'humidité et de la lumière. Une fois cuites, les algues se conservent environ une semaine au réfrigérateur.

Valeur nutritive par portion

Énergie :	373 kcal / 1 562 kJ
Protéines :	11,4 g
Glucides :	48,4 g
Fibres alimentaires :	6,8 g
Matières grasses :	17,8 g
Sodium :	807 mg
Fer :	3,2 mg
Calcium :	150 mg

Salade de soya, de chou et de lime

Préparation
25 min

Cuisson
2 min

Portions
8

1/4 d'un petit chou blanc (250 g / 8 oz)

1 grosse carotte (100 g / 3 1/2 oz), pelée

45 ml (3 c. à soupe) de graines de sésame

1 gousse d'ail, hachée très finement

30 ml (2 c. à soupe) d'huile de sésame non grillé

350 g (environ 12 oz) de germes de soya

22 ml (1 1/2 c. à soupe) de citronnelle hachée très finement

3 oignons verts, hachés finement

45 ml (3 c. à soupe) de coriandre fraîche hachée

45 ml (3 c. à soupe) de tamari

le jus de 2 limes

1 petit poivron rouge (150 g / 5 oz), émincé très finement

15 ml (1 c. à soupe) de gingembre frais râpé finement

sel et poivre, au goût

1 lime, en tranches ou en quartiers

1 Émincer très finement le chou au couteau ou à la mandoline.

2 Émincer finement la carotte sur la longueur à l'aide d'une mandoline ou d'une grosse râpe.

3 Dans une poêle, griller à sec les graines de sésame et réserver.

4 Dans la même poêle, rôtir l'ail avec 15 ml (1 c. à soupe) d'huile de sésame.

5 Dans un cul-de-poule, mélanger les germes de soya, le chou, la carotte, la citronnelle, les oignons verts, 30 ml (2 c. à soupe) de coriandre, le tamari, le reste de l'huile de sésame, les graines de sésame, le jus de lime, l'ail, la moitié du poivron et le gingembre. Saler et poivrer.

6 Dresser dans un plat de service et garnir du reste du poivron et de la coriandre et de tranches ou de quartiers de lime.

Fait cocasse, ce que nous appelons communément « germes de soya » ne provient pas du soja, mais bien des haricots mungo ! On devrait plutôt dire « germes de haricots mungo ». On voit aussi souvent l'expression « fèves germées ». Les deux expressions désignent en fait l'ingrédient principal du chop suey et celui utilisé dans cette recette. Les germes de soya existent également, mais sont seulement offerts dans certaines épiceries asiatiques ou dans les magasins d'alimentation naturelle.

Valeur nutritive par portion

Énergie :	131 kcal / 548 kJ
Protéines :	8,0 g
Glucides :	11,2 g
Fibres alimentaires :	2,6 g
Matières grasses :	8,2 g
Sodium :	429 mg
Fer :	2,1 mg
Calcium :	91 mg

Les branches de citronnelle sont offertes dans les épiceries asiatiques. Congelées, elles se conservent bien et se hachent plus facilement.

Salade de tomates,
de céleri et de lentilles germées

Les lentilles, en plus d'être très nutritives, constituent une excellente source de fibres alimentaires, facilitant ainsi le transit intestinal. Dans cette recette, on les fait germer, ce qui les rend plus faciles à digérer et plus nutritives, certaines enzymes étant produites lors de la germination. L'amidon de la légumineuse se transforme également en sucres simples, plus facilement assimilables et causant très peu de malaises abdominaux, contrairement aux légumineuses non germées.

Valeur nutritive par portion

Énergie :	127 kcal / 531 kJ
Protéines :	6,0 g
Glucides :	15,4 g
Fibres alimentaires :	7,0 g
Matières grasses :	5,5 g
Sodium :	63 mg
Fer :	2,2 mg
Calcium :	40 mg

Trempage
8 h

Germination
2 1/2 jours

Préparation
20 min

Cuisson
1 min

Portions
8

180 ml (3/4 tasse) de lentilles vertes du Puy, triées

15 ml (1 c. à soupe) d'huile d'olive

15 ml (1 c. à soupe) d'ail haché finement

2 à 3 branches de céleri (250 g / 8 oz), émincées de biais

4 belles tomates mûres (600 g / environ 1 1/4 lb), en quartiers

180 ml (3/4 tasse) de persil plat frais, haché finement

le jus de 2 citrons

30 ml (2 c. à soupe) d'huile de noix*

sel et poivre, au goût

2 oignons verts, hachés finement

quelques feuilles de céleri

1   Pour la germination des lentilles : les mettre à tremper dans de l'eau froide à la température ambiante 8 heures, puis les laisser égoutter dans une passoire 8 heures. Les deux jours suivants, trois fois par jour, rincer à grande eau dans un bol et laisser égoutter.

2   Dans une poêle, chauffer 5 ml (1 c. à thé) d'huile d'olive et y faire rôtir l'ail légèrement.

3   Dans un cul-de-poule, mélanger le céleri, les tomates, les lentilles germées, le persil, le jus de citron, l'ail, l'huile de noix et le reste de l'huile d'olive. Saler et poivrer.

4   Dresser dans un plat de service et garnir d'oignons verts et de quelques feuilles de céleri.

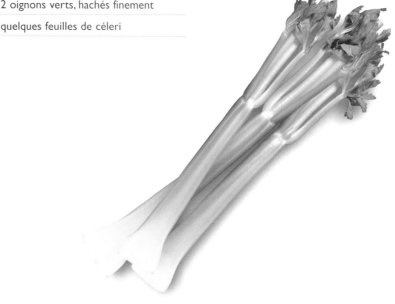

Vous n'avez pas d'huile de noix sous la main? Remplacez simplement par une quantité égale d'huile d'olive.

Salade de patates douces rôties

Préparation
1 h

Cuisson
20 min

Réfrigération
1 h

Portions
8

Huile aux herbes

3 branches de persil plat frais, hachées grossièrement

3 branches de romarin frais, hachées grossièrement

3 branches de thym frais, hachées grossièrement

4 à 5 branches de basilic frais, hachées grossièrement

2 oignons verts, hachés grossièrement

2 gousses d'ail, hachées grossièrement

45 ml (3 c. à soupe) d'eau

60 ml (1/4 tasse) d'huile d'olive

sel et poivre, au goût

4 patates douces (900 g / environ 2 lb), pelées et taillées en cubes de 2 cm (3/4 po)

2 œufs cuits durs

15 ml (1 c. à soupe) de moutarde de Dijon

60 ml (4 c. à soupe) d'eau

30 ml (2 c. à soupe) de câpres, rincées et égouttées

3 branches de persil plat frais, hachées

le jus d'un citron

sel et poivre, au goût

1 petit poivron rouge (150 g / 5 oz), en dés

1 petit oignon espagnol (200 g / 7 oz), haché finement

1 citron, en quartiers

poivre du moulin

1. Préchauffer le four à 200 °C (400 °F).

2. Passer les ingrédients de l'huile aux herbes 2 minutes au mélangeur.

3. Dans un cul-de-poule, verser la moitié de l'huile aux herbes. Ajouter les patates douces et les retourner pour bien les enrober d'huile.

4. Dans une poêle bien chaude, verser un filet d'huile d'olive et y sauter les patates douces de 3 à 4 minutes pour les faire colorer. Étaler ensuite sur une plaque et enfourner 15 minutes en les retournant à mi-cuisson. Retirer du four, transférer sur une autre plaque et réfrigérer 1 heure afin de bien refroidir.

5. Couper les œufs en deux sur la longueur. Retirer les jaunes de chaque moitié et les déposer dans le récipient d'un mélangeur. Hacher finement les blancs.

6. Dans le récipient du mélangeur, ajouter la moutarde de Dijon, le reste de l'huile aux herbes et 30 ml (2 c. à soupe) d'eau. Bien mélanger. Verser dans un cul-de-poule. Ajouter les patates douces, les câpres, la moitié du persil, les blancs d'œufs, le jus de citron et le reste de l'eau. Saler et poivrer, puis bien mélanger.

7. Dresser dans un plat de service et garnir de poivron, d'oignon, du reste du persil et de quartiers de citron. Donner un tour de moulin à poivre.

Vous pouvez présenter cette salade en la déposant sur un cœur de laitue romaine émincé ou sur un lit de cresson.

La patate douce est une excellente source de fibres et de vitamine A, une vitamine aux propriétés antioxydantes contribuant à protéger contre le cancer. Fait intéressant, plus sa chair est colorée, plus la patate douce est riche en vitamine A. Elle est aussi une bonne source de vitamine C et de plusieurs vitamines du complexe B. Ce légume mérite donc de retrouver une place à notre table !

Valeur nutritive par portion

Énergie :	197 kcal / 824 kJ
Protéines :	4,0 g
Glucides :	27,8 g
Fibres alimentaires :	4,4 g
Matières grasses :	8,3 g
Sodium :	175 mg
Fer :	1,2 mg
Calcium :	56 mg

Salade de riz sauvage, d'épinards et de saumon

Préparation
25 min

Cuisson
40 min

Réfrigération
1 h

Portions
8

125 ml (1/2 tasse) de riz sauvage

1,25 litre (5 tasses) d'eau

125 ml (1/2 tasse) de riz brun à grain long

750 ml (3 tasses) d'eau

1 botte d'asperges

300 g (environ 10 1/2 oz) de saumon, sans la peau

sel et poivre, au goût

5 ml (1 c. à thé) de poivre rose, concassé grossièrement

45 ml (3 c. à soupe) d'huile d'olive

le jus de 3 citrons

1/2 sac de petites feuilles d'épinards frais de 284 g (10 oz), lavées et essorées

45 ml (3 c. à soupe) de persil plat frais haché

quelques quartiers de citron

1   Bien rincer le riz sauvage à l'eau courante à l'aide d'une passoire à mailles fines, puis égoutter. Cuire 40 minutes à découvert dans 1,25 litre (5 tasses) d'eau. Bien rincer le riz brun à grain long à l'eau courante à l'aide d'une passoire à mailles fines, puis égoutter. Cuire 30 minutes à découvert dans 750 ml (3 tasses) d'eau. Égoutter ensuite les riz et les réfrigérer.

2   Entre-temps, préchauffer le four à 180 °C (350 °F).

3   Couper les asperges à 2,5 cm (1 po) de la base et les peler si elles sont trop grosses, puis les couper en trois. Blanchir 3 minutes à l'eau bouillante. Égoutter et rafraîchir à l'eau courante. Réfrigérer.

4   Déposer le saumon sur une plaque tapissée de papier parchemin. Saler et poivrer. Enfourner 10 minutes. Retirer du four et débarrasser sur une assiette. Réfrigérer 1 heure.

5   Émietter grossièrement le saumon et le placer dans un cul-de-poule. Ajouter le poivre rose, 15 ml (1 c. à soupe) d'huile et le jus d'un citron, puis mélanger.

6   Dans un grand cul-de-poule, bien mélanger les riz, les épinards, les deux tiers des asperges et du saumon, le reste du jus de citron et de l'huile et 30 ml (2 c. à soupe) de persil. Saler et poivrer.

7   Dresser dans un plat de service et garnir du reste des asperges, du saumon et du persil et de quelques quartiers de citron.

Le riz sauvage n'est pas un riz proprement dit, mais plutôt la graine d'une plante aquatique indigène de l'Amérique du Nord. Le riz sauvage pousse dans les marais et les lacs calmes, sur une plante pouvant atteindre 3 mètres de haut. Cette plante ne produit pas beaucoup, étant sensible aux variations climatiques, aux changements de niveau d'eau et aux parasites. De plus, le riz sauvage n'est pas facile à récolter; la méthode traditionnelle consiste à ramener les longues tiges de la plante au-dessus de l'embarcation et à les battre (toutefois, on commence à se servir de plus en plus de moissonneuses-batteuses). Pour toutes ces raisons, son prix est assez élevé. La saveur prononcée et la texture croustillante du riz sauvage en font tout de même un aliment particulièrement recherché. Il contient deux fois plus de protéines et autant de fibres qu'un riz brun.

Valeur nutritive par portion

Énergie :	213 kcal / 889 kJ
Protéines :	11,8 g
Glucides :	20,8 g
Fibres alimentaires :	2,7 g
Matières grasses :	9,8 g
Sodium :	82 mg
Fer :	2,3 mg
Calcium :	56 mg

Salade de poivrons et de poulet

Poivron vert ou rouge, même valeur nutritive vous croyez ? Détrompez-vous ! Le poivron rouge est plus riche en vitamine C et en pigments antioxydants que le poivron vert, en plus d'être plus facile à digérer que ce dernier. Le poivron vert est cueilli avant sa maturité, donc avant d'atteindre son plein potentiel nutritif. La couleur du poivron laissé sur le plant passera graduellement en mûrissant du vert au rouge, ce qui le rendra par le fait même de plus en plus riche en éléments nutritifs.

Valeur nutritive par portion

Énergie :	155 kcal / 649 kJ
Protéines :	12,4 g
Glucides :	10,6 g
Fibres alimentaires :	2,8 g
Matières grasses :	7,8 g
Sodium :	335 mg
Fer :	1,5 mg
Calcium :	33 mg

Préparation
25 min

Cuisson
20 min

Portions
8

2 poitrines de poulet (350 g / environ 12 oz), désossées et sans peau

5 ml (1 c. à thé) de paprika doux

sel et poivre, au goût

3 oignons verts, hachés

1,2 kg (2 1/2 lb) de poivrons (2 rouges, 2 verts et 2 jaunes), en cubes de 2 cm (3/4 po)

30 ml (2 c. à soupe) de tamari

le jus d'un citron

30 ml (2 c. à soupe) d'estragon frais haché finement

30 ml (2 c. à soupe) de persil plat frais haché finement

5 ml (1 c. à thé) de thym frais haché finement

1 pointe de piment de Cayenne

30 ml (2 c. à soupe) de vinaigre balsamique

60 ml (1/4 tasse) d'huile d'olive

15 ml (1 c. à soupe) de moutarde de Meaux

1   Préchauffer le four à 190 °C (375 °F).

2   Déposer les poitrines de poulet sur une plaque tapissée de papier parchemin, les arroser d'un filet d'huile d'olive, puis les assaisonner avec une pincée de paprika, du sel et du poivre. Enfourner environ 20 minutes, jusqu'à ce que le poulet ait perdu sa teinte rosée à l'intérieur. Retirer du four et laisser refroidir. Tailler en cubes de 1 cm (1/2 po).

3   Dans un cul-de-poule, bien mélanger le poulet, le reste de paprika, les deux tiers des oignons verts et les autres ingrédients. Rectifier l'assaisonnement au besoin.

4   Dresser dans un plat de service et garnir du reste des oignons verts.

Antipasto de légumes grillés

Préparation
1 h

Cuisson
14 min

Réfrigération
1 h

Portions
8

Huile aux herbes

5 à 6 branches de basilic frais, hachées grossièrement

5 à 6 branches de persil plat frais, hachées grossièrement

5 à 6 branches d'aneth frais, hachées grossièrement

2 à 3 branches de thym frais, hachées grossièrement

2 branches de romarin frais, hachées grossièrement

3 oignons verts, hachés grossièrement

3 gousses d'ail, hachées grossièrement

180 ml (3/4 tasse) d'eau

60 ml (1/4 tasse) d'huile d'olive

1 pointe de piment de Cayenne

sel et poivre, au goût

1 bulbe de fenouil (250 g / 8 oz)

1 oignon rouge (300 g / environ 10 1/2 oz)

1 poivron vert (200 g / 7 oz), en triangles de 2,5 x 5 cm (1 x 2 po)

1 poivron jaune (200 g / 7 oz), en triangles de 2,5 x 5 cm (1 x 2 po)

1 poivron rouge (200 g / 7 oz), en triangles de 2,5 x 5 cm (1 x 2 po)

1 courgette (300 g / environ 10 1/2 oz), en tranches de 5 mm (1/4 po) d'épaisseur

1 aubergine (300 g / environ 10 1/2 oz), en tranches de 5 mm (1/4 po) d'épaisseur

45 ml (3 c. à soupe) de vinaigre balsamique

le jus d'un citron

sel et poivre, au goût

3 à 4 feuilles de basilic frais, hachées

2 branches de persil plat frais, hachées

1. Préchauffer le four à gril (*broil*).

2. Passer les ingrédients de l'huile aux herbes 2 minutes au mélangeur.

3. Couper le bulbe de fenouil en deux sur la longueur, enlever le cœur, recouper en deux et séparer les feuilles.

4. Couper l'oignon en quatre et séparer les morceaux.

5. Dans un cul-de-poule, verser la moitié de l'huile aux herbes et y passer les poivrons et le fenouil, les égoutter au-dessus du cul-de-poule, les étaler sur une plaque et les passer de 6 à 7 minutes sous le gril du four en les retournant à mi-cuisson. Retirer du four et débarrasser sur une assiette. Dans le même cul-de-poule, réunir la courgette, l'aubergine et l'oignon et répéter les mêmes opérations.

6. Dans le cul-de-poule, mélanger le reste de l'huile aux herbes, les légumes, le vinaigre balsamique et le jus de citron. Saler et poivrer.

7. Dresser dans un plat de service.

8. Réfrigérer 1 heure.

9. Parsemer de basilic et de persil et servir froid.

Vous pouvez ajouter 150 g (5 oz) de mozzarella taillée en petites tranches. La mozzarella est excellente lorsque badigeonnée d'huile aux herbes et mise à mariner la veille.

Une salade débordante de légumes colorés est certainement appétissante, mais ne constitue pas toujours un repas complet. Il faut lui ajouter une source de protéines. Un manque de protéines au repas sera responsable des pannes d'énergie, de la somnolence et des rages de sucre ressenties quelques heures après les repas. Pour prévenir ces désagréments, ajoutez une protéine animale (fromage, œuf, poisson, fruits de mer, viande ou volaille) ou une protéine végétale (légumineuse, tofu, noix, graines) à votre salade.

Valeur nutritive par portion

Énergie :	125 kcal / 525 kJ
Protéines :	2,5 g
Glucides :	15,5 g
Fibres alimentaires :	4,6 g
Matières grasses :	7,2 g
Sodium :	84 mg
Fer :	1,2 mg
Calcium :	49 mg

Salade de pois chiches à la mangue

Trempage
12 h

Préparation
25 min

Cuisson
1 h 30 min

Portions
8

375 ml (1 1/2 tasse) de pois chiches, mis à tremper pendant 12 heures

15 ml (1 c. à soupe) d'huile d'olive

1/2 oignon rouge (150 g / 5 oz), en gros cubes

1 petit poivron rouge (150 g / 5 oz), en dés

2 gousses d'ail, hachées finement

10 ml (2 c. à thé) de moutarde de Meaux

45 ml (3 c. à soupe) de coriandre fraîche hachée finement

1 mangue bien mûre, pelée, dénoyautée et taillée en dés

sel et poivre, au goût

30 ml (2 c. à soupe) de menthe fraîche hachée finement

22 ml (1 1/2 c. à soupe) de noix de coco séchée râpée ou en flocons non sucrée

Vinaigrette

1 mangue bien mûre, pelée, dénoyautée et taillée en cubes

le jus d'un citron

30 ml (2 c. à soupe) de vinaigre de cidre

15 ml (1 c. à soupe) d'eau

45 ml (3 c. à soupe) d'huile d'olive

1 pointe de piment de Cayenne

1 pointe de curcuma moulu

sel et poivre, au goût

1   Dans une casserole, verser de l'eau froide et ajouter les pois chiches. Porter à ébullition et cuire 1 heure 30 minutes, jusqu'à ce qu'ils soient tendres. Égoutter et réfrigérer.

2   Entre-temps, dans une poêle, chauffer 15 ml (1 c. à soupe) d'huile d'olive et y sauter l'oignon, le poivron et l'ail de 3 à 4 minutes. Débarrasser sur une assiette et laisser refroidir.

3   Passer les ingrédients de la vinaigrette au mélangeur.

4   Dans un cul-de-poule, bien mélanger les pois chiches, l'oignon, le poivron, l'ail, la vinaigrette, la moutarde de Meaux, la coriandre et la mangue taillée en dés. Saler et poivrer.

5   Dresser dans un plat de service et parsemer de menthe et de noix de coco.

6   Servir frais.

Plusieurs personnes tolèrent difficilement les légumineuses, car une enzyme servant à dégrader l'hémicellulose des légumineuses n'est pas suffisamment présente dans leur système digestif. Pour prévenir ces problèmes de digestion, changez l'eau une à deux fois pendant le trempage et une autre fois entre le trempage et la cuisson. Si vous n'avez pas l'habitude de manger des légumineuses, introduisez-les progressivement à votre alimentation. Votre corps s'habituera à les digérer et les effets indésirables disparaîtront. De plus, évitez de consommer du sucre en même temps que les légumineuses. L'ajout d'un dessert sucré après ce plat aurait pour effet d'intensifier les malaises abdominaux.

Valeur nutritive par portion

Énergie :	166 kcal / 696 kJ
Protéines :	3,6 g
Glucides :	21,9 g
Fibres alimentaires :	4,2 g
Matières grasses :	8,2 g
Sodium :	77 mg
Fer :	1,5 mg
Calcium :	33 mg

En refroidissant les saveurs se marient d'autant mieux si l'on saute l'oignon, le poivron et l'ail avec un peu d'huile d'olive avant de les ajouter à la salade.

Champignons à la grecque

Préparation
45 min

Cuisson
20 min

Réfrigération
2 h

Portions
8

Le fenouil ajoute à cette recette une saveur particulière, légèrement sucrée et à mi-chemin entre l'anis et la réglisse. On doit le cuire le moins possible, sinon il deviendra fade et insipide. Fait intéressant, selon plusieurs études le fenouil aiderait à soulager les problèmes de digestion et les malaises abdominaux.

Valeur nutritive par portion

Énergie :	105 kcal / 439 kJ
Protéines :	3,4 g
Glucides :	10,7 g
Fibres alimentaires :	2,9 g
Matières grasses :	5,6 g
Sodium :	73 mg
Fer :	1,1 mg
Calcium :	42 mg

500 g (environ 1 lb) de champignons blancs (de Paris)

45 ml (3 c. à soupe) d'huile d'olive

5 ml (1 c. à thé) de paprika doux

125 ml (1/2 tasse) de vin blanc sec

2 grosses échalotes françaises (100 g / 3 1/2 oz), ciselées

1 bulbe de fenouil (250 g / 8 oz), en morceaux de 1 cm (1/2 po)

1 gousse d'ail, hachée finement

2 branches de céleri (200 g / 7 oz), en cubes

500 ml (2 tasses) de tomates fraîches en dés

5 ml (1 c. à thé) de graines de coriandre entières

2 ml (1/2 c. à thé) de graines de fenouil

2 ml (1/2 c. à thé) de thym frais haché

2 ml (1/2 c. à thé) de romarin frais haché

sel et poivre, au goût

5 ml (1 c. à thé) de fécule de marante

le jus de 2 citrons

15 ml (1 c. à soupe) de vinaigre balsamique

30 ml (2 c. à soupe) d'aneth frais haché finement

1 Couper le bout des pieds des champignons et les nettoyer au besoin avec un linge (ne pas les laver). Couper les plus gros champignons en deux.

2 Dans une grande poêle bien chaude, verser 15 ml (1 c. à soupe) d'huile et y sauter la moitié des champignons de 2 à 3 minutes pour les faire colorer. Vers la fin, saupoudrer la moitié du paprika, mélanger et mouiller avec la moitié du vin blanc. Débarrasser dans un cul-de-poule. Répéter les mêmes opérations avec le reste des champignons.

3 Dans une casserole, verser le reste de l'huile et y faire colorer les échalotes, le fenouil et l'ail de 2 à 3 minutes à feu vif. Ajouter le céleri et cuire 2 minutes en remuant. Ajouter les tomates, les champignons, les graines de coriandre et de fenouil, le thym et le romarin. Saler et poivrer, puis mélanger. Cuire 8 minutes.

4 Lier avec la fécule délayée dans le jus de citron et le vinaigre balsamique. Cuire 2 minutes. Transférer dans un cul-de-poule. Incorporer la moitié de l'aneth. Rectifier l'assaisonnement au besoin.

5 Réfrigérer 2 heures.

6 Dresser dans un plat de service et parsemer du reste de l'aneth au moment de servir.

Encore plus savoureux lorsque réfrigérés et servis le lendemain.

Vinaigrette au paprika et à l'estragon

Préparation
15 min

Cuisson
2 min

Rendement
300 ml
(environ
1 1/4 tasse)

1 poivron rouge (200 g / 7 oz)

1 gousse d'ail, hachée grossièrement

45 ml (3 c. à soupe) d'estragon frais haché grossièrement

15 ml (1 c. à soupe) de moutarde de Dijon

15 ml (1 c. à soupe) de vinaigre de vin rouge

15 ml (1 c. à soupe) de vinaigre balsamique

15 ml (1 c. à soupe) de paprika doux

sel et poivre, au goût

180 ml (3/4 tasse) d'huile d'olive

1 Couper le poivron en deux, retirer les membranes et les graines. Blanchir 2 minutes à l'eau bouillante. Rafraîchir à l'eau courante et couper grossièrement.

2 Dans le récipient d'un mélangeur, réunir le poivron, l'ail, 15 ml (1 c. à soupe) d'estragon, la moutarde de Dijon, le vinaigre de vin rouge, le vinaigre balsamique et le paprika. Saler et poivrer. Activer l'appareil et verser l'huile. Laisser tourner 1 minute. Passer au chinois en foulant afin de retirer la peau du poivron.

3 Incorporer le reste de l'estragon.

4 Rectifier l'assaisonnement au besoin.

Pour profiter de tous les bienfaits de l'huile d'olive, assurez-vous qu'elle soit présentée dans un contenant opaque et conservez-la à l'abri de la chaleur. L'idéal est de conserver une petite quantité d'huile à la température ambiante, quantité que vous utiliserez en 2 à 3 semaines, et de placer le surplus au réfrigérateur.

Valeur nutritive par portion de 30 ml (2 c. à soupe)

Énergie :	148 kcal / 621 kJ
Protéines :	0,5 g
Glucides :	2,3 g
Fibres alimentaires :	0,8 g
Matières grasses :	15,8 g
Sodium :	42 mg
Fer :	0,6 mg
Calcium :	11 mg

Cette vinaigrette conviendra pour napper des œufs pochés, chauds ou froids.

Vinaigrette au yogourt et au miso

Le sirop d'érable ajoute une touche bien spéciale aux recettes. Pour le conserver, transvidez-le dans un contenant hermétique, de préférence en verre, et réfrigérez-le. Surtout, ne le laissez pas dans le contenant de métal d'origine, puisqu'une fois ouvert, des moisissures nocives risquent de s'y développer à votre insu. Les moisissures produisent des toxines résistant même à la chaleur. Un sirop ayant passé plus d'une semaine dans un contenant de métal ouvert devrait donc être jeté.

Valeur nutritive par portion de 30 ml (2 c. à soupe)

Énergie :	87 kcal / 366 kJ
Protéines :	2,3 g
Glucides :	7,5 g
Fibres alimentaires :	0,5 g
Matières grasses :	5,7 g
Sodium :	443 mg
Fer :	0,5 mg
Calcium :	47 mg

Préparation
10 min

Rendement
250 ml
(1 tasse)

- 60 ml (1/4 tasse) de miso biologique
- 45 ml (3 c. à soupe) de vinaigre de cidre
- 2 gousses d'ail, hachées finement
- 15 ml (1 c. à soupe) de tamari
- 30 ml (2 c. à soupe) de sirop d'érable
- 45 ml (3 c. à soupe) d'huile d'olive
- 1 pincée de poivre noir
- 45 ml (3 c. à soupe) de persil plat frais haché finement
- 160 ml (2/3 tasse) de yogourt nature

1. Dans un cul-de-poule, bien mélanger les ingrédients, sauf le yogourt.

2. Incorporer le yogourt progressivement à l'aide d'un fouet.

3. Rectifier l'assaisonnement au besoin avec le poivre.

Le tamari et le miso suffiront par eux-mêmes à saler cette préparation.

Vinaigrette au tahini et à la moutarde

Préparation
10 min

Rendement
250 ml
(1 tasse)

30 ml (2 c. à soupe) de persil plat frais haché finement

30 ml (2 c. à soupe) d'oignons verts hachés finement

5 ml (1 c. à thé) d'ail haché finement

5 ml (1 c. à thé) de moutarde de Dijon

5 ml (1 c. à thé) de moutarde de Meaux

le jus d'un citron

160 ml (2/3 tasse) d'eau

1 pointe de piment de Cayenne

sel et poivre, au goût

125 ml (1/2 tasse) de tahini

1   Dans un cul-de-poule, placer les ingrédients, sauf le tahini. Mélanger au fouet, tout en incorporant progressivement le tahini. Bien mélanger.

2   Rectifier l'assaisonnement au besoin.

Le tahini provient de graines de sésame grillées puis broyées. Cette purée est ajoutée aux tartinades de légumineuses, mais aussi aux sauces pour la viande, aux vinaigrettes et à certains desserts. Une portion de 80 ml (1/3 tasse) de tahini contient environ 250 mg de calcium, soit la même quantité de calcium que dans 250 ml (1 tasse) de lait. Une fois le contenant entamé, conservez le tahini au réfrigérateur pendant 12 à 18 mois.

Valeur nutritive par portion de 30 ml (2 c. à soupe)

Énergie :	85 kcal / 354 kJ
Protéines :	2,5 g
Glucides :	3,7 g
Fibres alimentaires :	1,5 g
Matières grasses :	7,4 g
Sodium :	58 mg
Fer :	1,3 mg
Calcium :	62 mg

Incorporez 5 ml (1 c. à thé) de cumin moulu et 5 ml (1 c. à thé) de cari en poudre doux pour varier le goût.

Le Spa Eastman

PLATS

végétariens

Cari de patates douces

L'ajout de fromage cottage à cette recette la rend onctueuse sans devoir ajouter de lait de coco, un ingrédient classique des caris, mais également une source importante de gras saturés. À titre de comparaison, 125 ml (1/2 tasse) de fromage cottage contient à peine 2 g de gras alors que la même quantité de lait de coco en contient 10 fois plus.

Le garam masala est un mélange d'épices indien qui connaît une infinité de variations, comprenant habituellement de la cannelle, du laurier, des graines de cumin, de coriandre et de cardamome, ainsi que des grains de poivre noir, des clous de girofle et de la muscade.

Valeur nutritive par portion

Énergie :	283 kcal / 1 183 kJ
Protéines :	9,1 g
Glucides :	45,1 g
Fibres alimentaires :	7,9 g
Matières grasses :	8,9 g
Sodium :	352 mg
Fer :	3,5 mg
Calcium :	123 mg

Préparation
30 min

Cuisson
30 min

Portions
8

1,2 kg (2 1/2 lb) de patates douces, pelées et taillées en cubes de 2 cm (3/4 po)

15 ml (1 c. à soupe) d'huile de tournesol

1 oignon espagnol moyen (250 g / 8 oz), haché grossièrement

1 poivron rouge (200 g / 7 oz), en cubes de 1 cm (1/2 po)

1 poivron vert (200 g / 7 oz), en cubes de 1 cm (1/2 po)

1 branche de céleri (100 g / 3 1/2 oz), émincée de biais à 5 mm (1/4 po) d'épaisseur

15 ml (1 c. à soupe) d'ail haché

22 ml (1 1/2 c. à soupe) de cari en poudre doux

10 ml (2 c. à thé) de garam masala

sel, au goût

1 litre (4 tasses) d'eau froide

1 cube pour bouillon aux légumes

22 ml (1 1/2 c. à soupe) de fécule de marante

45 ml (3 c. à soupe) d'eau froide

125 ml (1/2 tasse) de noix de cajou

1 pointe de piment de Cayenne

125 ml (1/2 tasse) de fromage cottage

1/2 sac d'épinards frais de 284 g (10 oz), lavés, essorés, équeutés et hachés grossièrement

45 ml (3 c. à soupe) de coriandre fraîche hachée

1 Dans une casserole d'eau bouillante, cuire les patates douces de 12 à 15 minutes. Égoutter, puis rafraîchir à l'eau courante.

2 Dans une grande casserole, chauffer l'huile et y faire suer l'oignon, les poivrons, le céleri et l'ail 3 minutes. Ajouter le cari, le garam masala et le sel. Cuire 2 minutes à feu doux en remuant.

3 Ajouter 1 litre (4 tasses) d'eau et le cube pour bouillon aux légumes, puis porter à ébullition. Réduire le feu et laisser mijoter de 5 à 6 minutes à découvert.

4 Lier avec la fécule délayée dans 45 ml (3 c. à soupe) d'eau.

5 Ajouter les noix de cajou, les patates douces, le piment de Cayenne et le fromage cottage. Réchauffer 2 minutes à feu doux en remuant de temps à autre, sans faire bouillir.

6 Retirer du feu et incorporer les épinards. Rectifier l'assaisonnement au besoin.

7 Dresser dans un plat creux et parsemer de coriandre.

Orge au pesto et à l'aubergine rôtie

Préparation
25 min

Cuisson
30 min

Portions
8

500 ml (2 tasses) d'orge mondé

1,25 litre (5 tasses) d'eau froide

22 ml (1 1/2 c. à soupe) d'huile d'olive

1 aubergine (250 g / 8 oz), en dés

60 ml (4 c. à soupe) de parmesan râpé

sel et poivre, au goût

15 ml (1 c. à soupe) de pignons, grillés

30 ml (2 c. à soupe) d'oignons verts hachés

1 tomate, évidée et taillée en dés

quelques feuilles de basilic frais

Pesto

une vingtaine de feuilles de basilic frais

10 ml (2 c. à thé) d'ail haché

30 ml (2 c. à soupe) de parmesan râpé

60 ml (1/4 tasse) d'eau

30 ml (2 c. à soupe) d'huile d'olive

30 ml (2 c. à soupe) de pignons, grillés

sel et poivre, au goût

1 Rincer l'orge à l'eau courante à l'aide d'une passoire. Dans une casserole, mettre l'orge dans 1,25 litre (5 tasses) d'eau et porter à ébullition. Cuire à découvert 30 minutes à feu moyen. Égoutter.

2 Entre-temps, passer les ingrédients du pesto au mélangeur jusqu'à l'obtention d'une texture lisse.

3 Dans une poêle, chauffer 22 ml (1 1/2 c. à soupe) d'huile et y sauter l'aubergine de 3 à 4 minutes.

4 Dans un bol, mélanger l'orge, l'aubergine, le pesto et 30 ml (2 c. à soupe) de parmesan. Rectifier l'assaisonnement au besoin.

5 Dresser dans un plat de service. Garnir de pignons, d'oignons verts, de la tomate, du reste du parmesan et de quelques feuilles de basilic.

L'orge perlé a subi cinq ou six abrasions suivies d'une uniformisation pour obtenir des grains de forme et de grosseur égales. Le grain a perdu son germe donc une partie de sa valeur nutritive. Pour sa part, l'orge mondé a simplement été débarrassé de son enveloppe extérieure et a pratiquement conservé tout le son. Ayant perdu très peu d'éléments nutritifs, ce grain est donc plus nourrissant que l'orge perlé. De plus, l'orge mondé représente une source remarquable de fibres, soit 10 g par 125 ml (1/2 tasse).

Valeur nutritive par portion

Énergie :	303 kcal / 1 266 kJ
Protéines :	10,7 g
Glucides :	38,0 g
Fibres alimentaires :	9,9 g
Matières grasses :	13,1 g
Sodium :	210 mg
Fer :	2,2 mg
Calcium :	151 mg

Tarte à la courge spaghetti, à l'oignon rouge et au vieux cheddar

Préparation
20 min

Repos
1 h

Cuisson
2 h 20 min

Portions
8

1 courge spaghetti d'environ 1,3 kg (environ 2 1/2 lb)

15 ml (1 c. à soupe) d'huile d'olive

1 gros oignon rouge (400 g / environ 14 oz), coupé en deux et émincé finement

22 ml (1 1/2 c. à soupe) d'ail haché finement

75 ml (5 c. à soupe) de persil plat frais haché finement

75 ml (5 c. à soupe) d'origan frais haché finement

80 g (environ 3 oz) de vieux cheddar râpé

1 œuf

1 pointe de piment de Cayenne

sel et poivre, au goût

Pâte

250 ml (1 tasse) de farine d'épeautre

2 ml (1/2 c. à thé) de sel

45 ml (3 c. à soupe) d'huile de tournesol

75 ml (5 c. à soupe) d'eau froide

1 Préchauffer le four à 200 °C (400 °F).

2 Couper la courge en deux, envelopper chaque moitié dans du papier d'aluminium, déposer sur une plaque, la partie coupée vers le haut, et enfourner 1 heure 15 minutes.

3 Pendant ce temps, dans un cul-de-poule, réunir la farine, le sel et l'huile de tournesol. Mélanger en versant l'eau progressivement jusqu'à ce que la pâte soit homogène. Former une boule, envelopper d'une pellicule de plastique et laisser reposer 1 heure au réfrigérateur.

4 Dans une poêle, chauffer l'huile d'olive et y faire tomber l'oignon et l'ail de 3 à 4 minutes en remuant. Ajouter 45 ml (3 c. à soupe) de persil et d'origan. Cuire de 1 à 2 minutes. Transférer dans un cul-de-poule.

5 À la sortie du four, épépiner la courge à l'aide d'une cuillère. Détacher les filaments de chair à l'aide de la cuillère et mettre dans le cul-de-poule. Ajouter le cheddar, l'œuf et le piment de Cayenne. Saler et poivrer, puis bien mélanger.

6 Abaisser la pâte et foncer un moule à flan (assiette à tarte à fond amovible) de 23 cm (9 po) de diamètre. Enfourner 5 minutes à 200 °C (400 °F). Retirer du four, verser l'appareil et parsemer du reste du persil et de l'origan. Réduire la température du four à 190 °C (375 °F) et enfourner 1 heure.

Vous raffolerez de cette pâte à tarte faite à base d'huile de tournesol, une bonne huile pour la santé, contrairement aux pâtes à tarte traditionnelles et à celles du commerce souvent faites à base de shortening végétal, un gras hydrogéné (trans) à éviter dû à ses effets néfastes sur la santé.

Valeur nutritive par portion

Énergie :	239 kcal / 998 kJ
Protéines :	7,1 g
Glucides :	29,0 g
Fibres alimentaires :	5,2 g
Matières grasses :	12,1 g
Sodium :	247 mg
Fer :	2,4 mg
Calcium :	158 mg

Pour relever le goût, badigeonnez le fond de tarte d'une petite quantité de moutarde de Dijon.

Quinoa aux légumes et aux graines de citrouille

Les graines de citrouille sont riches en vitamine E, vitamine jouant un rôle essentiel dans la protection de la membrane de toutes les cellules de l'organisme. Elle est antioxydante, c'est-à-dire qu'elle contribue à la neutralisation des radicaux libres dans l'organisme. De plus, elle réduit l'oxydation du mauvais cholestérol (LDL) dans les artères, phénomène associé à l'apparition de l'athérosclérose. La consommation de 30 à 45 ml (2 à 3 c. à soupe) de graines de citrouille permet également de combler ses besoins en oméga-3 pour la journée.

Le quinoa, une céréale méconnue, est très nutritif et plus riche en protéines que la plupart des céréales. Selon les variétés, le grain peut être jaunâtre, mais aussi rose, orange, rouge, pourpre ou noir. Entier, il peut très bien remplacer le riz dans les recettes. On retrouve également le quinoa sous forme de flocons, on le fait alors cuire comme le gruau ou alors on l'utilise dans la préparation de biscuits, de crêpes, de muffins, etc.

Valeur nutritive par portion

Énergie :	178 kcal / 748 kJ
Protéines :	5,1 g
Glucides :	25,0 g
Fibres alimentaires :	3,3 g
Matières grasses :	7,2 g
Sodium :	306 mg
Fer :	3,2 mg
Calcium :	42 mg

Préparation 25 min

Cuisson 20 min

Portions 8

300 ml (environ 1 1/4 tasse) de quinoa

45 ml (3 c. à soupe) d'huile d'olive

1 petit oignon espagnol (150 g / 5 oz), haché finement

600 ml (environ 2 1/2 tasses) d'eau chaude

sel, au goût

10 ml (2 c. à thé) de paprika doux*

10 ml (2 c. à thé) d'ail haché

1 grosse carotte (100 g / 3 1/2 oz), en brunoise

1 branche de céleri (80 g / environ 3 oz), en brunoise

1 poivron rouge (200 g / 7 oz), en brunoise

4 oignons verts, émincés finement

30 ml (2 c. à soupe) de tamari

60 ml (1/4 tasse) de graines de citrouille nature, grillées

45 ml (3 c. à soupe) de persil plat frais haché

poivre, au goût

1. Bien rincer le quinoa à l'eau courante à l'aide d'une passoire à mailles fines, puis égoutter.

2. Dans une casserole, chauffer 30 ml (2 c. à soupe) d'huile et ajouter l'oignon et le quinoa. Remuer de 2 à 3 minutes à feu moyen. Mouiller avec les deux tiers de l'eau, soit 400 ml (1 2/3 tasse), puis assaisonner avec le sel et le paprika. Cuire à découvert 7 minutes à feu moyen. Ajouter le reste de l'eau et cuire 7 minutes de plus ou jusqu'à ce que le quinoa soit légèrement éclaté en remuant de temps à autre. Égoutter à l'aide de la passoire**.

3. Dans une casserole, chauffer le reste de l'huile et y faire suer l'ail, la carotte, le céleri, le poivron et les oignons verts de 3 à 4 minutes. Incorporer le quinoa, le tamari, les graines de citrouille, le persil et le poivre. Réchauffer le tout. Rectifier l'assaisonnement au besoin.

4. Servir chaud.

* ou 5 ml (1 c. à thé) de cumin moulu et 5 ml (1 c. à thé) de cari en poudre doux pour varier le goût

Pour relever le goût, remplacez l'eau par une même quantité de bouillon de légumes (p. 45).

Le quinoa doit être rincé abondamment sous l'eau courante jusqu'à ce que l'eau soit claire avant de le cuire, car il est recouvert d'une substance amère, la saponine. L'odeur et la saveur du quinoa rappellent celles de la noisette.

Lors de la cuisson, il faut mouiller le quinoa en deux étapes sinon il éclate trop tôt et devient pâteux.

** Si vous désirez réserver le quinoa pour un usage ultérieur, rafraîchissez-le à l'eau courante et laissez-le égoutter dans la passoire. Au moment de servir, retirez simplement le quinoa de la passoire et continuez la préparation. Vous obtiendrez ainsi une meilleure texture. Le quinoa supporte difficilement une période d'attente au chaud, même très courte.

Gratin de poireaux et de pommes de terre au cheddar de chèvre

Préparation
20 min

Cuisson
1 à 1 h 20 min

Portions
8

30 ml (2 c. à soupe) d'huile d'olive

3 poireaux (environ 1 kg / 2 lb), coupés en deux, lavés et émincés en morceaux de 5 mm (1/4 po) d'épaisseur

1 oignon espagnol moyen (250 g / 8 oz), haché finement

2 à 3 pommes de terre (environ 500 g / 1 lb), pelées, lavées et taillées en lamelles ou en fine julienne

2 ml (1/2 c. à thé) de muscade fraîchement râpée

750 ml (3 tasses) de lait à 2 %

sel et poivre, au goût

30 ml (2 c. à soupe) de fécule de marante

5 jaunes d'œufs battus

150 g (1 1/2 tasse) de cheddar de chèvre râpé

45 ml (3 c. à soupe) de ciboulette fraîche hachée

1 Préchauffer le four à 200 °C (400 °F).

2 Dans une casserole, chauffer l'huile et y faire tomber les poireaux et l'oignon de 5 à 6 minutes en remuant de temps à autre. Égoutter.

3 Ajouter les pommes de terre, la muscade et 625 ml (2 1/2 tasses) de lait. Saler et poivrer, puis mélanger. Porter à ébullition, réduire le feu et laisser mijoter 5 minutes.

4 Lier avec la fécule délayée dans le reste du lait. Retirer du feu et incorporer les jaunes d'œufs en remuant. Transférer le tout dans un plat allant au four de 23 × 33 cm (9 × 13 po). Enfourner de 50 à 60 minutes ou jusqu'à ce que les pommes de terre soient cuites.

5 Retirer du four et parsemer de cheddar. Enfourner de 5 à 10 minutes, jusqu'à l'obtention d'une coloration dorée.

6 Parsemer de ciboulette et servir.

Saviez-vous que les œufs contiennent plusieurs composés actifs, dont la choline, la lutéine et la zéaxanthine ? La choline permet un bon fonctionnement du système nerveux et assure le bon développement du fœtus. La lutéine et la zéaxanthine aident à protéger les yeux (rétine et cornée) contre les rayons ultraviolets en plus de prévenir la dégénérescence maculaire (perte de vision) chez les aînés.

Valeur nutritive par portion

Énergie :	341 kcal / 1 425 kJ
Protéines :	14,0 g
Glucides :	39,0 g
Fibres alimentaires :	3,8 g
Matières grasses :	15,2 g
Sodium :	166 mg
Fer :	3,9 mg
Calcium :	376 mg

Ne lavez pas les pommes de terre après les avoir taillées afin d'éviter qu'elles soient privées de leur amidon, essentiel pour que le plat ait une texture consistante.

Croquettes de lentilles et tzatziki

Préparation
30 min

Attente
1 h

Réfrigération
45 min

Cuisson
40 min

Portions
8

Tzatziki

1 concombre anglais (350 g / environ 12 oz)

5 ml (1 c. à thé) de sel

7 ml (1 1/2 c. à thé) d'ail haché finement

le jus d'un citron

45 ml (3 c. à soupe) d'aneth frais haché finement

250 ml (1 tasse) de yogourt nature

500 ml (2 tasses) de lentilles vertes du Puy, triées et lavées

1 oignon espagnol moyen (250 g / 8 oz), haché finement

1 poivron rouge (200 g / 7 oz), en brunoise

5 ml (1 c. à thé) de garam masala

10 ml (2 c. à thé) d'ail haché

1 ml (1/4 c. à thé) de piments rouges broyés

le jus d'un citron

1,5 litre (6 tasses) d'eau

sel, au goût

250 ml (1 tasse) de farine d'épeautre

30 ml (2 c. à soupe) de cari en poudre doux

5 ml (1 c. à thé) de curcuma moulu

15 ml (1 c. à soupe) de cumin moulu

poivre, au goût

60 ml (4 c. à soupe) d'huile d'olive

1   Peler le concombre, le couper en deux sur la longueur, l'épépiner à l'aide d'une cuillère et le râper. Déposer dans une passoire, saupoudrer le sel et laisser dégorger 1 heure. Presser et mettre ensuite dans un bol. Ajouter l'ail, le jus de citron, l'aneth et le yogourt, puis bien mélanger. Réfrigérer 45 minutes.

2   Pendant ce temps, dans une casserole, mélanger les lentilles, l'oignon, le poivron, le garam masala, l'ail, les piments rouges broyés, le jus de citron et l'eau. Saler, puis porter à ébullition. Réduire le feu et cuire à découvert 30 minutes à feu moyen. Bien égoutter à l'aide d'une passoire. Réfrigérer 15 minutes.

3   Préchauffer le four à 200 °C (400 °F).

4   Dans un grand bol, mélanger la farine, le cari, le curcuma et le cumin. Saler et poivrer. Réserver un tiers. Mélanger la préparation aux lentilles avec le reste de la farine aux épices. Façonner les croquettes, puis les passer rapidement dans le tiers de farine réservé.

5   Dans une grande poêle, chauffer 30 ml (2 c. à soupe) d'huile et y faire colorer la moitié des croquettes 1 minute de chaque côté. Déposer sur une plaque tapissée de papier parchemin. Répéter les mêmes opérations avec le reste des croquettes. Enfourner de 5 à 6 minutes.

6   Servir avec le tzatziki frais.

Au Spa Eastman, nous utilisons la farine d'épeautre. Si vous n'en avez pas sous la main, utilisez de la farine tout usage non blanchie.

Avoir les mains légèrement farinées aide à façonner les croquettes en évitant qu'elles collent trop aux mains.

En plus de contenir une bonne dose de protéines et de fibres alimentaires, les légumineuses contiennent des isoflavones, un élément actif ayant des effets positifs au niveau de la ménopause, de l'ostéoporose et de certaines maladies chroniques. Une autre bonne raison de découvrir les légumineuses !

Valeur nutritive par portion

Énergie :	227 kcal / 951 kJ
Protéines :	9,4 g
Glucides :	31,7 g
Fibres alimentaires :	7,7 g
Matières grasses :	8,3 g
Sodium :	349 mg
Fer :	3,7 mg
Calcium :	105 mg

Galettes de riz basmati aux champignons

Plutôt que d'acheter du riz basmati blanc, privilégiez le riz basmati brun qui contient encore le son et le germe, là où l'on retrouve l'essentiel de la valeur nutritive. Vous obtiendrez ainsi plus de protéines et de fibres avec en prime du fer et des vitamines du complexe B, essentielles au bon fonctionnement du système nerveux.

Valeur nutritive par portion

Énergie :	323 kcal / 1 352 kJ
Protéines :	10,0 g
Glucides :	56,1 g
Fibres alimentaires :	5,3 g
Matières grasses :	7,7 g
Sodium :	424 mg
Fer :	2,5 mg
Calcium :	42 mg

Préparation
30 min

Réfrigération
15 min

Cuisson
55 min

Portions
8

500 ml (2 tasses) de riz basmati brun

60 ml (4 c. à soupe) d'huile d'olive

1 oignon espagnol moyen (300 g / environ 10 1/2 oz), haché finement

1,25 litre (5 tasses) d'eau chaude

500 g (environ 1 lb) de champignons blancs (de Paris)

2 grosses échalotes françaises (100 g / 3 1/2 oz), hachées finement

30 ml (2 c. à soupe) d'ail haché

15 ml (1 c. à soupe) de thym frais haché

15 ml (1 c. à soupe) de romarin frais haché

4 oignons verts, hachés finement

15 ml (1 c. à soupe) de paprika doux

1 pointe de piment de Cayenne

sel et poivre, au goût

45 ml (3 c. à soupe) de tamari

1 œuf

250 ml (1 tasse) de farine d'épeautre

1 Bien rincer le riz à l'eau courante à l'aide d'une passoire à mailles fines, puis égoutter. Dans une grande casserole, chauffer 15 ml (1 c. à soupe) d'huile et y faire revenir l'oignon de 1 à 2 minutes. Ajouter le riz et remuer de 2 à 3 minutes.

2 Mouiller avec l'eau et cuire 30 minutes à couvert. Bien égoutter à l'aide d'une passoire. Réserver.

3 Couper le bout des pieds des champignons, puis en 4 ou 6 morceaux, selon la grosseur.

4 Dans la grande casserole, chauffer 15 ml (1 c. à soupe) d'huile et y sauter les échalotes et les champignons 4 minutes. Ajouter l'ail, le thym, le romarin, les oignons verts, le paprika et le piment de Cayenne. Saler et poivrer, puis bien mélanger. Cuire 4 minutes. Transférer dans un cul-de-poule. Ajouter le riz, le tamari, l'œuf et la farine, puis bien mélanger. Réfrigérer 15 minutes.

5 Préchauffer le four à 200 °C (400 °F).

6 Façonner les galettes.

7 Dans une grande poêle, chauffer 15 ml (1 c. à soupe) d'huile et y faire colorer la moitié des galettes 1 minute de chaque côté. Déposer sur une plaque tapissée de papier parchemin. Répéter les mêmes opérations avec le reste des galettes. Enfourner de 6 à 7 minutes.

Avoir les mains légèrement farinées aide à façonner les galettes en évitant qu'elles collent trop aux mains.

Servez avec un coulis de tomates.

Sauté de tofu à l'orientale

Préparation
35 min

Marinade
3 h

Cuisson
10 min

Portions
8

60 ml (1/4 tasse) de sauce teriyaki

45 ml (3 c. à soupe) d'ail haché

60 ml (4 c. à soupe) d'huile de sésame non grillé

500 g (environ 1 lb) de tofu en filaments

1 grosse carotte (100 g / 3 1/2 oz)

1 petit oignon rouge (200 g / 7 oz), émincé finement

1 poivron rouge (200 g / 7 oz), émincé finement

1 branche de céleri (80 g / environ 3 oz), émincée finement

250 g (8 oz) de champignons blancs (de Paris), émincés finement

250 g (8 oz) de germes de soya

500 ml (2 tasses) d'eau ou de bouillon de légumes (p. 45)

30 ml (2 c. à soupe) de miel

le jus d'un citron

1 pincée de cinq-épices moulu

poivre, au goût

1 pointe de piment de Cayenne

15 ml (1 c. à soupe) de gingembre frais râpé finement

22 ml (1 1/2 c. à soupe) de fécule de marante

60 ml (1/4 tasse) de tamari

5 à 6 oignons verts (100 g / 3 1/2 oz), émincés finement

60 ml (1/4 tasse) de coriandre fraîche hachée

sel, au goût

30 ml (2 c. à soupe) de graines de sésame, grillées

1 Dans un plat en verre peu profond, mélanger la sauce teriyaki et 15 ml (1 c. à soupe) d'ail et d'huile de sésame. Ajouter le tofu et le retourner pour bien l'enrober. Couvrir d'une pellicule de plastique. Laisser mariner 3 heures au réfrigérateur.

2 Peler la carotte, la couper en deux sur la longueur, puis l'émincer de biais finement.

3 Dans une grande poêle, chauffer 15 ml (1 c. à soupe) d'huile de sésame et y sauter la carotte, l'oignon, le poivron, le céleri et les champignons 2 minutes.

4 Ajouter le reste de l'ail et cuire de 2 à 3 minutes. Ajouter les germes de soya et cuire 1 minute de plus en remuant. Débarrasser dans une grande casserole.

5 Dans la même poêle, chauffer le reste de l'huile de sésame et y faire revenir le tofu de 2 à 3 minutes. Ajouter dans la grande casserole.

6 Dans la poêle, verser l'eau ou le bouillon de légumes et porter à ébullition. Ajouter le miel, le jus de citron, le cinq-épices, le poivre, le piment de Cayenne et le gingembre. Lier avec la fécule délayée dans le tamari. Bien mélanger au fouet et cuire 2 minutes. Verser dans la grande casserole.

7 Ajouter les oignons verts et la moitié de la coriandre, puis bien mélanger. Saler progressivement.

8 Dresser dans un plat de service et parsemer du reste de la coriandre et de graines de sésame.

Le tofu constitue une excellente alternative à la viande. En plus d'être riche en protéines, le tofu contient moins de matières grasses que la viande et ses matières grasses sont essentiellement insaturées donc, de bonne qualité. La teneur en protéines du tofu peut varier d'un type à l'autre. Plus il est ferme, moins il contient d'eau donc, plus il est riche en protéines. Le tofu ferme, qu'il soit en bloc ou en filaments, est idéal pour les sautés et les plats mijotés, alors que le tofu mou s'incorpore bien dans les sauces, les trempettes, les boissons et les desserts crémeux.

Valeur nutritive par portion

Énergie :	225 kcal / 942 kJ
Protéines :	12,8 g
Glucides :	21,1 g
Fibres alimentaires :	3,2 g
Matières grasses :	12,1 g
Sodium :	943 mg
Fer :	2,9 mg
Calcium :	108 mg

Si vous ne pouvez vous procurer du tofu en filaments, utilisez celui en bloc et taillez-le en dés. Plus la coupe est petite lorsqu'il est mariné, plus il absorbe le goût des condiments.

Pâtes aux rapinis et aux légumes grillés

Préparation
45 min

Réfrigération
40 min

Cuisson
55 min

Portions
8

Huile aux herbes

2 branches de thym frais, hachées grossièrement

2 branches de romarin frais, hachées grossièrement

2 branches de basilic frais, hachées grossièrement

2 branches de persil plat frais, hachées grossièrement

2 oignons verts, hachés grossièrement

15 ml (1 c. à soupe) d'ail haché grossièrement

125 ml (1/2 tasse) d'eau

80 ml (1/3 tasse) d'huile d'olive

sel et poivre, au goût

500 g (environ 1 lb) de rotini de riz brun ou d'autres pâtes courtes

2 courgettes (500 g / environ 1 lb)

1 petit oignon rouge (200 g / 7 oz)

250 g (8 oz) de pleurotes

1 poivron rouge (200 g / 7 oz), en morceaux de 2 x 3 cm (3/4 x 1 1/4 po)

1 poivron jaune (200 g / 7 oz), en morceaux de 2 x 3 cm (3/4 x 1 1/4 po)

500 g (environ 1 lb) de rapinis

30 ml (2 c. à soupe) de fleurs d'ail

30 ml (2 c. à soupe) d'ail haché

sel et poivre, au goût

1 pointe de piment de Cayenne (facultatif)

90 ml (6 c. à soupe) de parmesan râpé

1 Préchauffer le four à 200 °C (400 °F).

2 Passer les ingrédients de l'huile aux herbes 2 minutes au mélangeur.

3 Dans une grande marmite d'eau bouillante, cuire les pâtes de 8 à 10 minutes ou jusqu'à ce qu'elles soient *al dente*. Égoutter et transférer sur une plaque. Arroser d'un filet d'eau froide.

4 Couper les courgettes en deux sur la longueur, puis les émincer légèrement de biais à 5 mm (1/4 po) d'épaisseur.

5 Couper l'oignon en deux, puis couper chaque moitié en trois. Séparer les morceaux.

6 Couper le pied des pleurotes et les laisser entiers.

7 Dans un grand cul-de-poule, mélanger les courgettes, l'oignon, les pleurotes et les poivrons avec la moitié de l'huile aux herbes. Étaler sur une plaque et enfourner 40 minutes en les retournant à mi-cuisson. Retirer du four et laisser refroidir. Recouper grossièrement pour obtenir des morceaux légèrement plus petits. Remettre dans le cul-de-poule.

8 Couper les rapinis à 1 cm (1/2 po) de la base, puis les couper en deux. Blanchir de 3 à 4 minutes à l'eau bouillante. Rafraîchir à l'eau courante. Bien les presser avec les mains afin d'en extraire le maximum d'eau. Ajouter aux autres légumes avec le reste de l'huile aux herbes et la fleur d'ail. Mélanger.

9 Dans une marmite, verser un filet d'huile d'olive et y faire rôtir l'ail légèrement. Ajouter les légumes et mélanger pour bien réchauffer le tout.

10 Plonger les pâtes 30 secondes dans de l'eau bouillante, puis égoutter.

11 Dans un grand cul-de-poule, mélanger les pâtes, les légumes, le sel, le poivre, le piment de Cayenne (facultatif) et 45 ml (3 c. à soupe) de parmesan. Rectifier l'assaisonnement au besoin.

12 Dresser dans un plat de service et saupoudrer du reste du parmesan*.

Généralement, dans la culture de l'ail, on coupe le bouton afin de concentrer toute l'énergie de la plante vers le bulbe. On se prive ainsi de la fleur qui est comestible et dont la saveur est beaucoup plus délicate que la gousse d'ail elle-même. Heureusement, on peut se procurer la fleur d'ail conservée dans l'huile, un produit idéal pour ceux qui ont de la difficulté à digérer l'ail ou pour ceux qui aiment son goût, mais n'apprécient pas l'haleine qu'il laisse après le repas.

Les rotini de riz brun sont des pâtes alimentaires confectionnées à partir de riz brun moulu, de son de riz et d'eau. Une bonne alternative aux pâtes alimentaires traditionnelles pour ceux qui sont intolérants au blé ou au gluten. Ils sont offerts dans les magasins d'alimentation naturelle. Vous pouvez même vous procurer des fusilli de riz sauvage confectionnés à partir de riz sauvage et de riz brun moulus et d'eau. De quoi faire jaser vos invités !

Valeur nutritive par portion

Énergie :	409 kcal / 1 713 kJ
Protéines :	17,7 g
Glucides :	62,1 g
Fibres alimentaires :	6,3 g
Matières grasses :	12,2 g
Sodium :	244 mg
Fer :	4,1 mg
Calcium :	209 mg

* Vous pouvez également utiliser des copeaux de parmesan ou de pecorino.

Frittata aux épinards

La frittata est un plat à base d'œufs semblable à une quiche, mais qui possède l'avantage d'être préparée sans croûte. Sa teneur en matières grasses est donc moins élevée. Pour compléter, ajoutez un pain de grains entiers et une salade verte ; vous aurez ainsi un repas nourrissant et complet.

Valeur nutritive par portion

Énergie :	366 kcal / 1 526 kJ
Protéines :	24,3 g
Glucides :	21,3 g
Fibres alimentaires :	3,6 g
Matières grasses :	20,7 g
Sodium :	277 mg
Fer :	3,6 mg
Calcium :	457 mg

Préparation 20 min

Cuisson 1 h

Portions 8

2 pommes de terre (500 g / environ 1 lb), pelées et taillées en dés

15 ml (1 c. à soupe) d'huile d'olive

1 petit oignon rouge (250 g / 8 oz), en dés

2 poivrons rouges (400 g / environ 14 oz), en dés

15 ml (1 c. à soupe) de thym frais haché

15 ml (1 c. à soupe) de romarin frais haché

15 ml (1 c. à soupe) de paprika doux

sel et poivre, au goût

15 œufs (moyens)

1 sac d'épinards frais de 284 g (10 oz), lavés, essorés et équeutés

1 pointe de piment de Cayenne

300 g (environ 10 1/2 oz) d'emmental râpé

1. Dans une casserole d'eau bouillante, cuire les pommes de terre environ 8 minutes ou jusqu'à ce qu'elles offrent encore un peu de résistance lorsqu'on insère la pointe d'un couteau (ne pas trop cuire). Égoutter.

2. Dans une casserole, chauffer l'huile et y faire revenir l'oignon et les poivrons avec le thym, le romarin, le paprika, le sel et le poivre de 5 à 6 minutes en remuant. Ajouter les pommes de terre et cuire 2 minutes en remuant. Réserver.

3. Préchauffer le four à 200 °C (400 °F).

4. Dans un grand bol, casser les œufs. Ajouter les épinards et le piment de Cayenne. Saler et poivrer, puis mélanger. Passer 2 minutes au robot culinaire (si le bol du robot n'est pas assez grand, procéder en deux étapes).

5. Verser l'appareil aux œufs dans un grand bol. Ajouter la préparation aux légumes et le fromage, puis mélanger. Transférer dans un plat allant au four de 23 x 28 cm (9 x 11 po). Enfourner 50 minutes.

6. Servir directement dans le plat de cuisson.

Enchiladas

Trempage
8 h

Préparation
35 min

Cuisson
1 h

Portions
8

250 ml (1 tasse) d'haricots rouges, mis à tremper pendant 8 heures

30 ml (2 c. à soupe) d'huile d'olive

2 petits oignons rouges (400 g / environ 14 oz), hachés grossièrement

2 poivrons rouges (400 g / environ 14 oz), en dés

45 ml (3 c. à soupe) d'ail haché

750 ml (3 tasses) de bouquets de brocoli (200 g / 7 oz)

3 tomates, évidées et taillées en dés

10 ml (2 c. à thé) de cumin moulu

4 ml (3/4 c. à thé) de piments rouges broyés

6 oignons verts, hachés

sel et poivre, au goût

75 ml (5 c. à soupe) de ricotta

45 ml (3 c. à soupe) de parmesan râpé

200 g (7 oz) de cheddar râpé

90 ml (6 c. à soupe) de coriandre fraîche hachée

2 pointes de piment de Cayenne

8 tortillas

1 branche de céleri, en cubes

5 ml (1 c. à thé) de paprika doux

750 ml (3 tasses) de tomates fraîches concassées

1   Dans une casserole, verser de l'eau froide et ajouter les haricots rouges. Porter à ébullition et cuire 30 minutes, jusqu'à ce qu'ils soient tendres. Égoutter.

2   Dans une casserole, chauffer 15 ml (1 c. à soupe) d'huile et y faire suer la moitié des oignons, les poivrons et 30 ml (2 c. à soupe) d'ail de 6 à 7 minutes.

3   Pendant ce temps, blanchir les brocolis 4 minutes à l'eau bouillante. Égoutter et hacher grossièrement.

4   Dans la casserole, ajouter les tomates, les haricots rouges, le brocoli, le cumin, 2 ml (1/2 c. à thé) de piments rouges broyés et la moitié des oignons verts. Saler et poivrer, puis mélanger. Cuire 2 minutes à feu doux.

5   Transférer dans un cul-de-poule et incorporer la ricotta, le parmesan, la moitié du cheddar et de la coriandre et le piment de Cayenne. Rectifier l'assaisonnement au besoin.

6   Préchauffer le four à 200 °C (400 °F).

7   Répartir la préparation sur les tortillas et les rouler. Déposer dans un plat allant au four de 23 × 28 cm (9 × 11 po).

8   Pour la sauce, dans une casserole, chauffer le reste de l'huile et y faire revenir le reste des oignons et de l'ail, le céleri, le reste des piments rouges broyés, le paprika, 15 ml (1 c. à soupe) de coriandre, le reste des oignons verts et les tomates concassées 3 minutes. Saler et poivrer. Passer 15 secondes au mélangeur. Verser sur les tortillas et parsemer du reste du cheddar et de la coriandre. Enfourner 20 minutes.

9   Servir chaud.

Le pain azyme, entre le pain pita et la tortilla mexicaine, est fabriqué sans levure ni levain à partir de farines entières et d'eau. Il est réputé être plus léger et plus facile à digérer que les autres types de pain. Voilà une excellente alternative pour les sandwichs et les wraps, surtout chez les personnes éprouvant des ballonnements à la suite de la consommation de pain fabriqué à partir de farine raffinée.

Valeur nutritive par portion

Énergie :	435 kcal / 1 818 kJ
Protéines :	19,0 g
Glucides :	50,2 g
Fibres alimentaires :	7,9 g
Matières grasses :	18,8 g
Sodium :	648 mg
Fer :	4,3 mg
Calcium :	406 mg

Servez avec une petite salade verte et quelques radis.

Recherchez les tortillas faites à partir de farines entières. Vous pouvez également utiliser du pain azyme à la farine d'épeautre.

Tempeh à la provençale

Préparation
45 min

Cuisson
35 min

Portions
8

45 ml (3 c. à soupe) d'huile d'olive

1 aubergine (300 g / environ 10 1/2 oz), en morceaux de 1 cm (1/2 po)

1 petit oignon espagnol (200 g / 7 oz), en morceaux de 1 cm (1/2 po)

1 poivron rouge (200 g / 7 oz), en morceaux de 1 cm (1/2 po)

1 poivron vert (200 g / 7 oz), en morceaux de 1 cm (1/2 po)

1 poivron jaune (200 g / 7 oz), en morceaux de 1 cm (1/2 po)

1 bulbe de fenouil (200 g / 7 oz), en morceaux de 1 cm (1/2 po)

30 ml (2 c. à soupe) d'ail haché

625 à 750 ml (2 1/2 à 3 tasses) de tomates fraîches concassées

30 ml (2 c. à soupe) de romarin frais haché

30 ml (2 c. à soupe) de thym frais haché

1 feuille de laurier

2 ml (1/2 c. à thé) de graines de fenouil

5 ml (1 c. à thé) de paprika doux

sel et poivre, au goût

1 courgette (200 g / 7 oz), en morceaux de 1 cm (1/2 po)

2 blocs de tempeh de 240 g (environ 8 oz), taillés en dés de 5 mm (1/4 po)

60 ml (1/4 tasse) d'eau

30 ml (2 c. à soupe) de fleurs d'ail

1 pointe de piment de Cayenne

60 ml (1/4 tasse) de persil plat frais haché

1   Dans une grande poêle, chauffer 15 ml (1 c. à soupe) d'huile et y faire revenir l'aubergine 3 minutes en remuant de temps à autre. Ajouter l'oignon et cuire de 2 à 3 minutes. Ajouter les poivrons, le fenouil et l'ail. Cuire 2 minutes en remuant.

2   Ajouter les tomates, le romarin, le thym, la feuille de laurier, les graines de fenouil et le paprika. Saler et poivrer, puis mélanger. Cuire 20 minutes de plus à feu doux.

3   Dans une autre poêle, chauffer 15 ml (1 c. à soupe) d'huile et y sauter la courgette 2 minutes. Ajouter dans la grande poêle.

4   Dans la poêle utilisée à l'étape précédente, bien chauffer le reste de l'huile et y faire colorer le tempeh de 2 à 3 minutes en remuant. Ajouter dans la grande poêle avec l'eau, la fleur d'ail, le piment de Cayenne et le persil. Cuire de 1 à 2 minutes de plus en remuant. Retirer la feuille de laurier. Rectifier l'assaisonnement au besoin.

5   Servir chaud.

D'origine indonésienne, le tempeh est en fait une galette faite à base d'haricots de soja cuits, puis fermentés. Ce processus rend le soja plus facile à digérer, en plus de rehausser sa valeur nutritive. On peut le faire griller à la poêle en remplacement de la viande ou l'ajouter dans les plats mijotés. Le tempeh frais est recouvert d'une fine couche blanchâtre et dégage une odeur de champignon. S'il dégage plutôt une odeur d'ammoniaque, c'est un signe d'une mauvaise fermentation. Il est alors impropre à la consommation. On le retrouve souvent avec les produits surgelés. Une fois dégelé, il se conserve environ une semaine au réfrigérateur.

Valeur nutritive par portion

Énergie :	228 kcal / 957 kJ
Protéines :	14,0 g
Glucides :	21,1 g
Fibres alimentaires :	5,1 g
Matières grasses :	12,2 g
Sodium :	58 mg
Fer :	3,0 mg
Calcium :	117 mg

La ratatouille est également excellente servie froide (sans tempeh) pour accompagner en été une viande ou un poisson grillé.

Spa Eastman

POISSONS

et fruits de mer

Filets de mérou à la Veracruz

Le mérou, un poisson à chair maigre, gagne à être découvert. Cependant, comme tous les poissons blancs, il est plus fragile et ne se conserve pas longtemps. Assurez-vous de sa fraîcheur. La chair du filet doit être ferme, ne doit pas être tachée, ni retenir l'empreinte des doigts ou se séparer facilement de ses arêtes. Privilégiez les poissonneries spécialisées ayant un grand roulement.

Valeur nutritive par portion

Énergie :	306 kcal / 1 277 kJ
Protéines :	40,3 g
Glucides :	16,5 g
Fibres alimentaires :	4,6 g
Matières grasses :	8,4 g
Sodium :	491 mg
Fer :	3,2 mg
Calcium :	89 mg

Préparation 25 min

Cuisson 20 min

Portions 6

15 ml (1 c. à soupe) d'huile d'olive

1 oignon espagnol moyen (250 g / 8 oz), en cubes

1 petit poivron vert (150 g / 5 oz), en dés

15 ml (1 c. à soupe) d'ail haché

1 kg (2 lb) de tomates, évidées et hachées grossièrement

2 ml (1/2 c. à thé) de cannelle moulue

1 ml (1/4 c. à thé) de clou de girofle moulu

2 ml (1/2 c. à thé) de piments rouges broyés

le jus d'une lime

125 ml (1/2 tasse) de fond de volaille

12 olives vertes, dénoyautées et hachées grossièrement

12 olives noires de Calamata, dénoyautées et hachées grossièrement

sel et poivre, au goût

30 ml (2 c. à soupe) de câpres, rincées et égouttées

6 filets de mérou de 150 g (5 oz) chacun, sans la peau

30 ml (2 c. à soupe) d'huile aux herbes (p. 23)

3 oignons verts, hachés

2 limes, en quartiers

quelques feuilles de coriandre fraîche

1   Préchauffer le four à 200 °C (400 °F).

2   Dans une poêle, chauffer l'huile d'olive à feu moyen et y faire suer l'oignon et le poivron 5 minutes. Ajouter l'ail et cuire 2 minutes en remuant. Ajouter les tomates, la cannelle, le clou de girofle moulu, les piments rouges broyés, le jus de lime, le fond de volaille et les olives. Saler et poivrer, puis mélanger. Porter à ébullition, réduire le feu et laisser mijoter 5 minutes à découvert. Incorporer les câpres. Rectifier l'assaisonnement au besoin. Transférer dans un plat allant au four.

3   Badigeonner les filets d'huile aux herbes. Saler et poivrer légèrement. Chauffer une poêle et y cuire les filets 2 minutes, sans les retourner. Les déposer, côté saisi vers le haut, dans le plat allant au four. Enfourner de 4 à 5 minutes.

4   Garnir d'oignons verts, de quartiers de lime et de feuilles de coriandre. Servir directement dans le plat de cuisson.

Vous pouvez accompagner ce plat d'un riz sauvage.

Tilapia au citron et au poivre rose

Préparation
20 min

Cuisson
15 min

Portions
6

80 ml (1/3 tasse) de jus de citron

15 ml (1 c. à soupe) de miel

1 grosse échalote française
(50 g / 1 3/4 oz), hachée

15 ml (1 c. à soupe) de gingembre frais
râpé finement

1 ml (1/4 c. à thé) de curcuma moulu

2 ml (1/2 c. à thé) d'ail haché

2 ml (1/2 c. à thé) de moutarde de
Dijon

160 ml (2/3 tasse) de fumet de poisson

sel et poivre, au goût

15 ml (1 c. à soupe) de fécule de
marante

45 ml (3 c. à soupe) d'eau froide

15 ml (1 c. à soupe) d'huile d'olive

le zeste d'une lime, haché finement

5 ml (1 c. à thé) de poivre rose,
concassé grossièrement

6 filets de tilapia de 150 g (5 oz)
chacun, sans la peau

30 ml (2 c. à soupe) d'huile aux herbes
(p. 23)

quelques feuilles de coriandre fraîche

1   Préchauffer le gril du barbecue.

2   Dans une casserole, mélanger le jus de citron, le
    miel, l'échalote, le gingembre, le curcuma, l'ail, la
    moutarde de Dijon et le fumet de poisson. Saler
    et poivrer, puis porter à légère ébullition. Réduire
    le feu et laisser mijoter 5 minutes à découvert. Lier
    avec la fécule délayée dans l'eau. Cuire 2 minutes.
    Verser dans le récipient d'un mélangeur. Activer
    l'appareil et verser l'huile d'olive en un mince filet.
    Laisser tourner 1 minute. Passer au chinois.
    Remettre la sauce dans la casserole. Incorporer
    le zeste de lime et le poivre rose. Rectifier
    l'assaisonnement au besoin. Réserver au chaud.

3   Badigeonner les filets d'huile aux herbes, puis
    poivrer. Passer 3 minutes de chaque côté sur
    un gril bien chaud.

4   Déposer les filets dans des assiettes individuelles.
    Verser un peu de sauce autour. Garnir de quelques
    feuilles de coriandre.

La consommation de certains
poissons devrait être limitée.
Par exemple, l'espadon, un
poisson à chair grasse, a
l'avantage d'être très
savoureux, contrairement à
certains poissons au goût plus
subtil. Alors que les enfants
et les adultes en santé
peuvent en consommer
sans problème, les femmes
enceintes et celles qui allaitent
ne devraient pas consommer
ce poisson puisqu'il accumule
une certaine quantité de
mercure dans sa chair. Les
quantités de mercure
présentes dans ce poisson
n'affectent pas la mère, mais
peuvent nuire au fœtus et
au nourrisson, leur système
nerveux étant particulièrement sensible au mercure.
D'autres poissons prédateurs,
c'est-à-dire ceux se nourrissant
d'autres poissons, comme la
lotte, le brochet, l'achigan et
la perchaude devraient
également être évités.

Valeur nutritive par portion

Énergie :   251 kcal / 1 046 kJ
Protéines :   37,1 g
Glucides :   7,4 g
Fibres alimentaires :   0,4 g
Matières grasses :   8,5 g
Sodium :   225 mg
Fer :   1,4 mg
Calcium :   36 mg

Filets de vivaneau grillés, salsa Fresca

Préparation
20 min

Cuisson
7 min

Portions
6

30 ml (2 c. à soupe) d'huile d'olive

4 oignons verts, hachés finement

le jus de 2 citrons

5 ml (1 c. à thé) d'ail haché

2 ml (1/2 c. à thé) de gingembre frais râpé finement

1 pointe de piment de Cayenne

80 ml (1/3 tasse) d'eau

sel et poivre, au goût

1 mangue mûre, pelée, dénoyautée et taillée en petits dés

5 ml (1 c. à thé) d'aneth frais haché finement

1/4 d'un petit oignon rouge (60 g / 2 oz), haché finement

6 filets de vivaneau de 180 g (6 oz) chacun, sans la peau

30 ml (2 c. à soupe) d'huile aux herbes (p. 23)

quelques quartiers de citron

1 Préchauffer le four à 200 °C (400 °F).

2 Passer l'huile d'olive, la moitié des oignons verts, le jus de citron, l'ail, le gingembre, le piment de Cayenne, l'eau, le sel et le poivre 1 minute au mélangeur. Verser dans un cul-de-poule et ajouter le reste des oignons verts, la mangue, l'aneth et l'oignon. Bien mélanger. Rectifier l'assaisonnement au besoin.

3 Badigeonner les filets d'huile aux herbes. Chauffer une poêle et y cuire les filets 2 minutes, sans les retourner. Les déposer, côté saisi vers le haut, sur une plaque tapissée de papier parchemin. Enfourner de 4 à 5 minutes.

4 Déposer les filets dans des assiettes individuelles et napper de la sauce froide. Garnir de quelques quartiers de citron et servir aussitôt.

Il existe deux sortes de sel : le sel gemme, extrait des mines de sel (anciennes mers asséchées) et le sel de mer, provenant des marais salants (portions de mer qu'on a emprisonnées et fait s'évaporer pour en récupérer le sel). Le gros sel et le sel de table sont généralement du sel gemme raffiné. Le sel de mer contient naturellement plus de minéraux que le sel gemme, mais les quantités demeurent modestes et il faudrait en consommer une grande quantité pour en tirer réellement un avantage. De plus, le sel de mer a un pouvoir salant inférieur donc, on pourrait avoir tendance à en mettre davantage, augmentant ainsi notre apport en sodium. En conclusion, qu'il s'agisse de sel gemme ou de sel de mer, il est important de limiter sa consommation. La consommation moyenne par jour des Nord-Américains se situe entre 4 000 à 6 000 mg, dépassant ainsi largement les recommandations se situant autour d'un maximum de 3 000 mg.

Valeur nutritive par portion

Énergie :	280 kcal / 1 169 kJ
Protéines :	37,5 g
Glucides :	9,1 g
Fibres alimentaires :	1,1 g
Matières grasses :	10,0 g
Sodium :	160 mg
Fer :	0,6 mg
Calcium :	72 mg

Vous pouvez remplacer l'aneth par de la coriandre, au goût.

Turbot, sauce au vin rouge et aux champignons

La fécule de marante, fécule extraite d'une plante de l'Amérique tropicale, est fine, blanche et inodore. Sa valeur nutritive est semblable à celle de sa consœur, la fécule de maïs. Cependant, elle offre l'avantage de ne pas changer le goût ni la transparence du produit auquel on l'ajoute. La fécule de marante est donc idéale pour épaissir les soupes, les sauces et même vos préparations sucrées. En plus, elle est riche en pectine, un type de fibre soluble procurant de nombreux bienfaits à l'organisme.

Valeur nutritive par portion

Énergie :	251 kcal / 1 049 kJ
Protéines :	31,6 g
Glucides :	5,9 g
Fibres alimentaires :	0,9 g
Matières grasses :	10,8 g
Sodium :	601 mg
Fer :	1,6 mg
Calcium :	54 mg

Préparation 45 min

Cuisson 30 min

Portions 6

1 grosse échalote française (50 g / 1 3/4 oz), hachée

160 ml (2/3 tasse) de vin rouge

15 ml (1 c. à soupe) de vinaigre de vin rouge

15 ml (1 c. à soupe) de vinaigre balsamique

125 ml (1/2 tasse) de fond de volaille ou de veau

125 ml (1/2 tasse) de fumet de poisson

5 ml (1 c. à thé) d'ail haché

5 ml (1 c. à thé) de thym frais haché finement

5 ml (1 c. à thé) de romarin frais haché finement

1 pointe de piment de Cayenne

sel et poivre, au goût

15 ml (1 c. à soupe) de fécule de marante

30 ml (2 c. à soupe) d'eau froide

15 ml (1 c. à soupe) de tamari

750 ml (3 tasses) de champignons blancs (de Paris) (220 g / environ 7 1/2 oz), hachés

15 ml (1 c. à soupe) d'huile d'olive

2 ml (1/2 c. à thé) de paprika doux

15 ml (1 c. à soupe) de persil plat frais haché finement

6 filets de turbot de 180 g (6 oz) chacun, sans la peau

30 ml (2 c. à soupe) d'huile aux herbes (p. 23)

1 citron, en six morceaux

quelques branches de thym frais

1 Dans une casserole, chauffer l'échalote et le vin rouge et faire réduire du tiers.

2 Ajouter le vinaigre de vin rouge, le vinaigre balsamique, le fond de volaille ou de veau, le fumet de poisson, l'ail, le thym, le romarin et le piment de Cayenne. Saler et poivrer, puis mélanger. Porter à ébullition, réduire le feu et laisser mijoter de 5 à 6 minutes à découvert.

3 Lier avec la fécule délayée dans l'eau et le tamari. Cuire 2 minutes. Passer 1 minute au mélangeur, puis au chinois. Remettre la sauce dans la casserole.

4 Préchauffer le four à 200 °C (400 °F).

5 Couper la base des pieds des champignons, les couper en deux, puis les émincer finement.

6 Dans une poêle, chauffer l'huile d'olive et y faire revenir les champignons de 3 à 4 minutes en remuant. Incorporer le paprika et 45 ml (3 c. à soupe) de sauce et cuire 3 minutes de plus. Verser le tout dans le reste de la sauce et ajouter le persil. Bien mélanger. Rectifier l'assaisonnement au besoin. Réserver au chaud.

7 Déposer les filets sur une plaque tapissée de papier parchemin. Badigeonner d'huile aux herbes. Saler, poivrer légèrement et saupoudrer d'une pincée de paprika. Enfourner 12 minutes.

8 Verser un peu de sauce dans des assiettes individuelles, puis déposer les filets. Garnir d'un morceau de citron et d'une branche de thym.

Aiglefin, sauce au basilic et aux tomates séchées

Préparation
25 min

Cuisson
20 min

Portions
6

1 grosse échalote française (50 g / 1 3/4 oz), hachée

125 ml (1/2 tasse) de vin blanc sec

250 ml (1 tasse) de fumet de poisson

sel et poivre, au goût

22 ml (1 1/2 c. à soupe) de fécule de marante

45 ml (3 c. à soupe) d'eau froide

45 ml (3 c. à soupe) de basilic frais haché

30 ml (2 c. à soupe) de tomates séchées, réhydratées et hachées finement

6 filets d'aiglefin de 180 g (6 oz) chacun, sans la peau

30 ml (2 c. à soupe) d'huile aux herbes (p. 23)

quelques feuilles de basilic frais

Gremolata

45 ml (3 c. à soupe) de persil plat frais haché

le zeste d'un citron, haché finement

le zeste d'une orange, haché finement

5 ml (1 c. à thé) d'ail haché finement

1 Préchauffer le four à 200 °C (400 °F).

2 Dans une casserole, chauffer l'échalote et le vin blanc et faire réduire du tiers. Ajouter le fumet de poisson. Saler et poivrer, puis porter à ébullition. Réduire le feu et laisser mijoter de 3 à 4 minutes à découvert. Lier avec la fécule délayée dans l'eau. Cuire 2 minutes. Retirer du feu et incorporer le basilic haché. Passer 1 minute au mélangeur, puis au chinois. Remettre la sauce dans la casserole. Ajouter les tomates. Rectifier l'assaisonnement au besoin. Réserver au chaud.

3 Dans un bol, mélanger les ingrédients de la *gremolata*.

4 Déposer les filets sur une plaque tapissée de papier parchemin. Badigeonner d'huile aux herbes. Saler et poivrer légèrement, puis parsemer de *gremolata*. Enfourner 10 minutes.

5 Déposer les filets dans des assiettes individuelles. Verser un peu de sauce autour. Garnir de quelques feuilles de basilic.

Les Nord-Américains sont parmi ceux qui consomment le moins de poisson. Dommage, puisque cet aliment contient de nombreux éléments bénéfiques pour la santé. La chair du poisson, même celle des poissons plus gras, est tout de même plus maigre que la viande. On y trouve également de bons gras insaturés et, selon les espèces, une dose variable d'oméga-3. Saviez-vous que les oméga-3 contenus dans le poisson sont plus facilement assimilables que ceux contenus dans les végétaux, tels que les noix et les graines ? Une raison de plus pour consommer du poisson, idéalement de 2 à 3 fois par semaine.

Valeur nutritive par portion

Énergie :	222 kcal / 928 kJ
Protéines :	35,5 g
Glucides :	5,0 g
Fibres alimentaires :	0,6 g
Matières grasses :	4,5 g
Sodium :	320 mg
Fer :	2,6 mg
Calcium :	91 mg

Saumon, sauce aux oignons verts

Préparation
25 min

Cuisson
17 min

Portions
6

1 grosse échalote française (50 g / 1 3/4 oz), hachée

125 ml (1/2 tasse) de vin blanc sec

125 ml (1/2 tasse) de fond de volaille

125 ml (1/2 tasse) de fumet de poisson

sel et poivre, au goût

22 ml (1 1/2 c. à soupe) de fécule de marante

90 ml (6 c. à soupe) d'eau froide

250 ml (1 tasse) d'oignons verts hachés

15 ml (1 c. à soupe) d'huile d'olive

1 filet de saumon de 900 g (environ 2 lb), sans la peau

1   Préchauffer le four à 180 °C (350 °F).

2   Dans une casserole, chauffer l'échalote et le vin blanc et faire réduire du tiers. Ajouter le fond de volaille et le fumet de poisson. Saler et poivrer, puis porter à ébullition. Réduire le feu et laisser mijoter 3 minutes à découvert. Lier avec la fécule délayée dans 45 ml (3 c. à soupe) d'eau. Cuire 2 minutes. Passer 1 minute au mélangeur avec 125 ml (1/2 tasse) d'oignons verts, puis au chinois. Remettre la sauce dans la casserole. Rectifier l'assaisonnement au besoin. Réserver au chaud.

3   Passer 80 ml (1/3 tasse) d'oignons verts, l'huile et le reste de l'eau 1 minute au mélangeur.

4   Couper le filet en six portions de 150 g (5 oz). Déposer sur une plaque tapissée de papier parchemin. Badigeonner d'huile aux oignons verts. Saler, poivrer et garnir du reste des oignons verts. Enfourner 10 minutes.

5   Déposer les portions dans des assiettes individuelles. Verser un peu de sauce autour.

Une portion de 100 g (3 1/2 oz) de saumon arrive à combler nos besoins en vitamine D pour la journée. La vitamine D (ou calciférol) est vitale pour la santé des os et des dents, car elle joue un rôle essentiel dans le métabolisme du calcium dans l'organisme. La vitamine D aide à prévenir l'ostéoporose en améliorant l'absorption et la rétention du calcium par les os.

Valeur nutritive par portion

Énergie :	332 kcal / 1 388 kJ
Protéines :	31,2 g
Glucides :	4,7 g
Fibres alimentaires :	0,5 g
Matières grasses :	18,7 g
Sodium :	250 mg
Fer :	1,1 mg
Calcium :	43 mg

Servez le saumon dès qu'il est cuit; le réchauffer a tendance à le dessécher et à le durcir.

Truite, sauce aux asperges à la crème de chèvre et à l'estragon

Le fromage de chèvre ajoute beaucoup de saveur à cette recette, sans ajouter beaucoup de matières grasses. En effet, la teneur en gras de la plupart des fromages de chèvre se situe autour de 15 %, ce qui est relativement faible. En comparaison, les fromages faits à partir de lait de vache atteignent souvent 40 % de matières grasses. Une alternative intéressante pour votre santé et vos papilles !

Valeur nutritive par portion

Énergie :	287 kcal / 1 202 kJ
Protéines :	34,4 g
Glucides :	4,4 g
Fibres alimentaires :	0,7 g
Matières grasses :	12,6 g
Sodium :	230 mg
Fer :	1,6 mg
Calcium :	133 mg

Préparation
20 min

Cuisson
20 min

Portions
6

1 grosse échalote française (50 g / 1 3/4 oz), hachée

125 ml (1/2 tasse) de vin blanc sec

250 ml (1 tasse) de fond de volaille

sel et poivre, au goût

250 ml (1 tasse) d'asperges en tronçons de 1 cm (1/2 po)

15 ml (1 c. à soupe) de fécule de marante

45 ml (3 c. à soupe) d'eau froide

45 ml (3 c. à soupe) de fromage de chèvre blanc

30 ml (2 c. à soupe) d'estragon frais haché finement

6 filets de truite de 150 g (5 oz) chacun, sans la peau

30 ml (2 c. à soupe) d'huile aux herbes (p. 23)

1   Préchauffer le four à 180 °C (350 °F).

2   Dans une casserole, chauffer l'échalote et le vin blanc et faire réduire du tiers. Ajouter le fond de volaille. Saler et poivrer, puis porter à ébullition. Ajouter les asperges et cuire 5 minutes à découvert. Retirer quelques pointes d'asperges et les réserver au chaud pour la garniture. Lier avec la fécule délayée dans l'eau. Cuire 2 minutes. Passer 1 minute au mélangeur avec le fromage de chèvre et l'estragon, puis au chinois. Remettre la sauce dans la casserole. Rectifier l'assaisonnement au besoin. Réserver au chaud.

3   Déposer les filets sur une plaque tapissée de papier parchemin. Badigeonner d'huile aux herbes. Saler et poivrer. Enfourner 10 minutes.

4   Déposer les filets dans des assiettes individuelles. Verser un peu de sauce autour. Garnir de pointes d'asperges.

Comme pour le saumon, cuisez la truite à la dernière minute; la réchauffer a tendance à la dessécher.

Filets de sole
au coulis de poivron rouge

Préparation
20 min

Cuisson
20 min

Portions
6

1 échalote française (40 g / environ 1 1/2 oz), hachée

2 ml (1/2 c. à thé) d'ail haché

125 ml (1/2 tasse) de vin blanc sec

180 ml (3/4 tasse) de fumet de poisson

1 poivron rouge (200 g / 7 oz), en cubes

2 ml (1/2 c. à thé) de paprika doux

sel et poivre, au goût

15 ml (1 c. à soupe) de fécule de marante

45 ml (3 c. à soupe) d'eau froide

30 ml (2 c. à soupe) d'huile d'olive

6 filets de sole de 150 g (5 oz) chacun, sans la peau

30 ml (2 c. à soupe) d'huile aux herbes (p. 23)

quelques branches de ciboulette fraîche hachées

1 Préchauffer le four à 200 °C (400 °F).

2 Dans une casserole, chauffer l'échalote, l'ail et le vin blanc et faire réduire de moitié. Ajouter le fumet de poisson, le poivron et le paprika. Saler et poivrer, puis porter à ébullition. Réduire le feu et laisser mijoter de 5 à 6 minutes à découvert. Lier avec la fécule délayée dans l'eau. Cuire 2 minutes. Verser dans le récipient d'un mélangeur. Activer l'appareil et verser l'huile d'olive en un mince filet. Laisser tourner 1 minute. Passer au chinois. Remettre la sauce dans la casserole. Rectifier l'assaisonnement au besoin. Réserver au chaud.

3 Badigeonner les filets d'huile aux herbes, les rouler sur eux-mêmes et les déposer sur une plaque tapissée de papier parchemin. Saler, poivrer et saupoudrer d'un peu de paprika. Enfourner 10 minutes.

4 Déposer les filets dans des assiettes individuelles. Verser un peu de sauce autour et parsemer de ciboulette.

Le poivron rouge est le deuxième légume le plus riche en vitamine C, après le piment fort du Chili. Sa couleur écarlate provient d'un pigment antioxydant nommé carotène. Un poivron cru est une excellente source de vitamine B_6 et de sélénium, un oligo-élément contribuant à prévenir le cancer de la prostate.

Valeur nutritive par portion

Énergie :	240 kcal / 1 004 kJ
Protéines :	29,5 g
Glucides :	4,9 g
Fibres alimentaires :	0,9 g
Matières grasses :	9,5 g
Sodium :	260 mg
Fer :	1,1 mg
Calcium :	47 mg

La peau du poivron peut être noircie facilement et uniformément en le tournant à quelques reprises sur la flamme d'un brûleur d'une cuisinière au gaz ou sur la grille d'un barbecue. Frottez ensuite avec une brosse sous l'eau courante afin d'enlever la peau. Retirez les membranes et les graines et continuez la recette, tel qu'indiqué. Votre coulis n'en sera que plus savoureux.

Morue au cari et moules

500 g (environ 1 lb) de moules

1 branche de céleri (80 g / environ 3 oz), en tronçons de 1 cm (1/2 po)

250 ml (1 tasse) d'oignons espagnols hachés grossièrement

125 ml (1/2 tasse) de vin blanc sec

environ 80 ml (1/3 tasse) d'eau

1 échalote française (40 g / environ 1 1/2 oz), hachée

2 ml (1/2 c. à thé) de cari en poudre doux

2 ml (1/2 c. à thé) d'ail haché

5 ml (1 c. à thé) de gingembre frais haché finement

1 pointe de curcuma moulu

15 ml (1 c. à soupe) de fécule de marante

45 ml (3 c. à soupe) d'eau froide

sel et poivre, au goût

6 filets de morue de 180 g (6 oz) chacun, sans la peau

30 ml (2 c. à soupe) d'huile aux herbes (p. 23)

quelques pistaches concassées

1 Rincer les moules deux fois à l'eau courante, puis les ébarber.

2 Chauffer une casserole, puis y mettre le céleri, les oignons, les moules et le vin blanc. Couvrir et cuire environ 5 minutes à feu vif ou jusqu'à ce que les moules soient ouvertes. Égoutter en conservant le jus de cuisson. Laisser refroidir et décoquiller. Ajouter suffisamment d'eau au jus de cuisson afin d'obtenir 250 ml (1 tasse) de liquide, soit environ 80 ml (1/3 tasse).

3 Préchauffer le four à 200 °C (400 °F).

4 Dans une casserole, mélanger l'échalote, le jus de cuisson des moules, le cari, l'ail, le gingembre et le curcuma. Porter à ébullition, réduire le feu et laisser mijoter de 3 à 4 minutes. Lier avec la fécule délayée dans 45 ml (3 c. à soupe) d'eau. Cuire 2 minutes. Rectifier l'assaisonnement au besoin (il se peut que la préparation soit suffisamment salée, car le jus de cuisson des moules est déjà salé). Passer 1 minute au mélangeur, puis au chinois. Remettre la sauce dans la casserole. Réserver au chaud.

5 Enlever les arêtes des filets, puis déposer les filets sur une plaque tapissée de papier parchemin. Badigeonner d'huile aux herbes et saupoudrer d'une pincée de sel. Enfourner 10 minutes.

6 Entre-temps, déposer les moules dans la sauce afin de les réchauffer (ne pas faire bouillir).

7 Verser un peu de sauce dans des assiettes individuelles, répartir les moules, puis déposer les filets. Garnir de pistaches.

Le mot cari (ou curry) désigne un mélange d'épices pouvant contenir de 5 à 50 ingrédients. On trouve des caris doux, semi-piquants, forts et brûlants. Ce mélange, très utilisé dans la cuisine indienne, se retrouve sous forme de pâte ou de poudre et la couleur peut varier du blanc au jaune, en passant par le rouge et le vert, selon les épices utilisées. Le cumin, la cannelle, le curcuma, le fenugrec, le poivre, le piment et les graines de moutarde font partie des épices les plus souvent retrouvées dans le cari. Le nom désigne également le plat que ce mélange condimente et colore.

Valeur nutritive par portion

Énergie :	306 kcal / 1 281 kJ
Protéines :	43,5 g
Glucides :	9,6 g
Fibres alimentaires :	1,2 g
Matières grasses :	8,2 g
Sodium :	392 mg
Fer :	4,6 mg
Calcium :	74 mg

De temps à autre, remuez les moules en cours de cuisson afin qu'elles ouvrent uniformément. Les moules ne doivent pas être trop cuites.

Après la cuisson, jetez toutes les moules qui sont fermées, car elles peuvent être toxiques.

Crevettes à la thaïlandaise

Préparation
1 h

Marinade
1 h

Cuisson
12 min

Portions
6

le jus de 2 citrons

10 ml (2 c. à thé) d'ail haché finement

2 ml (1/2 c. à thé) de piments rouges broyés

1 kg (2 lb) de crevettes, grosseur 21/25, décortiquées et déveinées

225 g (environ 7 1/2 oz) de tofu en filaments ou en bloc (facultatif)

45 ml (3 c. à soupe) de tamari

45 ml (3 c. à soupe) d'huile de sésame non grillé

1/2 petit oignon rouge (100 g / 3 1/2 oz), en julienne

1/2 poivron vert (100 g / 3 1/2 oz), en julienne

1/2 poivron rouge (100 g / 3 1/2 oz), en julienne

5 ml (1 c. à thé) de gingembre frais haché finement

15 ml (1 c. à soupe) de citronnelle hachée finement

45 ml (3 c. à soupe) de basilic thaïlandais frais haché finement

250 ml (1 tasse) de germes de soya

3 oignons verts, émincés

500 ml (2 tasses) de fond de volaille

80 ml (1/3 tasse) de lait de coco non sucré*

sel et poivre, au goût

1 Dans un plat en verre peu profond, mélanger le jus d'un citron, 5 ml (1 c. à thé) d'ail et les piments rouges broyés. Ajouter les crevettes et les retourner pour bien les enrober. Couvrir d'une pellicule de plastique. Laisser mariner 1 heure au réfrigérateur.

2 Détacher les filaments de tofu ou s'il s'agit d'un bloc, le tailler en morceaux de 1 x 2 cm (1/2 x 3/4 po). Dans un cul-de-poule, mélanger avec le tamari.

3 Dans une poêle, chauffer 15 ml (1 c. à soupe) d'huile de sésame et y sauter l'oignon et les poivrons 2 minutes. Débarrasser dans une grande casserole. Répéter les mêmes opérations avec le tofu et les crevettes (toutefois, dans le cas des crevettes, sauter 3 minutes ou jusqu'à ce qu'elles changent de couleur, en 2 étapes, sans toutefois ajouter d'huile de sésame à la deuxième étape).

4 Dans la grande casserole, ajouter le gingembre, le reste de l'ail, la citronnelle, le reste du jus de citron, le basilic, les germes de soya, les oignons verts, le fond de volaille et le lait de coco. Saler et poivrer, puis mélanger. Cuire 2 minutes. Rectifier l'assaisonnement au besoin.

5 Servir dans des assiettes creuses individuelles.

Le tofu acheté en vrac ou dont l'emballage sous vide est ouvert doit être conservé au réfrigérateur dans un contenant hermétique rempli d'eau. L'eau de trempage doit être changée tous les jours. Ainsi, le tofu pourra se conserver pendant plus d'une semaine. Le tofu est périmé lorsqu'il devient visqueux. De plus, cet aliment se congèle mal. Une fois décongelé, sa texture devient granuleuse et il risque de développer un arrière-goût.

Valeur nutritive par portion

Énergie :	345 kcal / 1 445 kJ
Protéines :	42,2 g
Glucides :	10,9 g
Fibres alimentaires :	1,5 g
Matières grasses :	15,3 g
Sodium :	825 mg
Fer :	7,5 mg
Calcium :	251 mg

Offert en version biologique dans les magasins d'alimentation naturelle.

Servez avec un riz basmati brun si vous n'avez pas mis de tofu.

Vous trouverez la citronnelle et le basilic thaïlandais dans les épiceries asiatiques.

Le Spa Eastman

VIANDES

Poitrines de poulet grillées, salsa méditerranéenne

Des additifs alimentaires sont utilisés pour conserver la couleur et la tendreté des fruits séchés. Parmi les plus communs, on trouve l'acide sorbique, le sorbate de potassium, l'anhydride sulfureux et les sulfites. Les fruits séchés biologiques sont dépourvus de ces additifs. En conséquence, leur couleur sera moins vive, plutôt brunâtre, et ils devront être conservés au réfrigérateur dans un contenant hermétique. Les marques blanches à la surface du fruit sont le résultat de la cristallisation du sucre du fruit. Ce phénomène ne réduit en rien leur qualité ou leur valeur nutritive.

Valeur nutritive par portion

Énergie :	309 kcal / 1 292 kJ
Protéines :	36,1 g
Glucides :	13,2 g
Fibres alimentaires :	2,0 g
Matières grasses :	12,3 g
Sodium :	146 mg
Fer :	1,9 mg
Calcium :	38 mg

Préparation
25 min

Réfrigération
1 h

Cuisson
12 à 15 min

Portions
6

6 poitrines de poulet de 150 g (5 oz) chacune, désossées

30 ml (2 c. à soupe) d'huile aux herbes (p. 23)

Salsa méditerranéenne

30 ml (2 c. à soupe) d'huile d'olive

le jus d'un citron

5 ml (1 c. à thé) d'ail haché finement

22 ml (1 1/2 c. à soupe) de persil plat frais haché

125 ml (1/2 tasse) de jus d'orange

1 pointe de piment de Cayenne

sel et poivre, au goût

1/2 petit poivron rouge (70 g / environ 2 1/2 oz), en brunoise

15 ml (1 c. à soupe) de raisins secs

3 figues séchées, en dés

5 abricots séchés, en dés

15 ml (1 c. à soupe) de ciboulette fraîche hachée

45 ml (3 c. à soupe) d'oignons rouges hachés finement

7 ml (1/2 c. à soupe) de vinaigre balsamique

30 ml (2 c. à soupe) de pignons, grillés

30 ml (2 c. à soupe) de coriandre fraîche hachée

1   Passer l'huile d'olive, le jus de citron, l'ail, le persil, le jus d'orange, le piment de Cayenne, le sel et le poivre 1 minute au mélangeur. Verser dans un cul-de-poule et incorporer le reste des ingrédients de la salsa. Rectifier l'assaisonnement au besoin. Réfrigérer 1 heure afin de développer les saveurs.

2   Préchauffer le gril du barbecue.

3   Badigeonner les poitrines d'huile aux herbes et les faire griller de 12 à 15 minutes, jusqu'à ce que le poulet ait perdu sa teinte rosée à l'intérieur, en les retournant de temps à autre.

4   Déposer les poitrines dans des assiettes individuelles et servir avec la salsa.

La salsa méditerranéenne conviendra également à d'autres viandes grillées comme des tranches de gigot ou des côtes d'agneau.

Brochettes de dindon aux agrumes et au thé vert

Préparation
30 min

Marinade
2 à 3 h

Cuisson
25 min

Portions
6

500 ml (2 tasses) d'eau

1 sachet de thé vert nature

le jus d'un citron

15 ml (1 c. à soupe) d'huile d'olive

1,2 kg (2 1/2 lb) de poitrines de dindon désossées et sans peau, en cubes de 2 cm (3/4 po)

1 poivron rouge (200 g / 7 oz), en cubes de 2 cm (3/4 po)

1 poivron vert (200 g / 7 oz), en cubes de 2 cm (3/4 po)

1 citron*, en six morceaux avec la peau

1 orange moyenne*, en six morceaux avec la peau

1/2 pamplemousse*, en quartiers avec la peau, puis chaque quartier en deux

1 oignon rouge (300 g / environ 10 1/2 oz), en quatre et défait en morceaux

45 ml (3 c. à soupe) d'huile aux herbes (p. 23)

sel et poivre du moulin

Sauce

500 ml (2 tasses) de fond de volaille

1 sachet de thé vert nature

le jus de deux citrons

le jus d'une orange

30 ml (2 c. à soupe) de miel

15 ml (1 c. à soupe) de vinaigre de cidre

5 ml (1 c. à thé) d'ail haché

10 ml (2 c. à thé) de gingembre frais râpé finement

1 pointe de curcuma moulu

2 ml (1/2 c. à thé) de sel

1 pointe de piment de Cayenne

30 ml (2 c. à soupe) de fécule de marante

60 ml (1/4 tasse) d'eau froide

15 ml (1 c. à soupe) d'huile d'olive

15 ml (1 c. à soupe) de menthe fraîche hachée

1 Dans une casserole, mettre 500 ml (2 tasses) d'eau et un sachet de thé vert, puis porter à ébullition. Retirer du feu, laisser infuser quelques minutes, puis retirer le sachet. Ajouter le jus d'un citron et 15 ml (1 c. à soupe) d'huile d'olive.

2 Dans un plat en verre peu profond, verser l'infusion. Ajouter les cubes de poitrine et les retourner pour bien les enrober. Couvrir d'une pellicule de plastique. Laisser mariner de 2 à 3 heures au réfrigérateur en retournant à mi-temps.

3 Dans une casserole, mélanger le fond de volaille, un sachet de thé vert, le jus de deux citrons, le jus d'orange, le miel, le vinaigre de cidre, l'ail, le gingembre, le curcuma, le sel et le piment de Cayenne. Porter à ébullition, réduire le feu et laisser mijoter de 3 à 4 minutes à découvert. Retirer le sachet. Lier avec la fécule délayée dans 60 ml (1/4 tasse) d'eau. Cuire 1 minute. Passer 1 minute au mélangeur avec l'huile d'olive. Remettre la sauce dans la casserole. Rectifier l'assaisonnement au besoin. Réserver au chaud.

4 Préchauffer le gril du barbecue.

5 Égoutter les cubes de poitrine et les embrocher avec les morceaux de poivrons, de citron, d'orange, de pamplemousse et d'oignon en alternance. Badigeonner légèrement d'huile aux herbes.

6 Déposer les brochettes sur un gril bien chaud et cuire environ 20 minutes, jusqu'à ce que le dindon ait perdu sa coloration rosée à l'intérieur, en les retournant toutes les 5 minutes (badigeonner légèrement d'huile aux herbes à trois reprises en cours de cuisson; saler et poivrer en fin de cuisson).

7 Au moment de servir, ajouter la menthe à la sauce. Déposer les brochettes de dindon dans des assiettes individuelles et napper de sauce.

* Il est préférable de laver et brosser les agrumes sous l'eau courante avant de les tailler.

Vous pouvez aussi utiliser des poitrines de poulet désossées et sans peau pour cette recette estivale.

Des recherches ont démontré que le thé possédait des propriétés anticancérigènes grâce aux polyphénols qu'il contient. Ces substances aideraient également à réduire les risques de certaines maladies inflammatoires et cardiaques. Choisissez de préférence le thé vert, il contient plus d'antioxydants que les autres thés, dont le thé noir. Ce dernier a perdu l'essentiel de ses propriétés pendant le processus de fermentation et de séchage.

Valeur nutritive par portion

Énergie :	414 kcal / 1 735 kJ
Protéines :	53,1 g
Glucides :	28,1 g
Fibres alimentaires :	4,1 g
Matières grasses :	10,6 g
Sodium :	515 mg
Fer :	3,6 mg
Calcium :	75 mg

Suprêmes de pintade aux pleurotes

Préparation
25 min

Cuisson
30 min

Portions
6

45 ml (3 c. à soupe) d'huile d'olive

6 suprêmes de pintade

sel et poivre, au goût

2 grosses échalotes françaises (100 g / 3 1/2 oz), hachées

160 ml (2/3 tasse) de vin rouge

410 ml (1 2/3 tasse) de fond de volaille

5 ml (1 c. à thé) d'ail haché

5 ml (1 c. à thé) de thym frais haché

5 ml (1 c. à thé) de romarin frais haché

1 feuille de laurier

500 g (environ 1 lb) de pleurotes, émincés

5 ml (1 c. à thé) de paprika doux

15 ml (1 c. à soupe) de fécule de marante

45 ml (3 c. à soupe) de tamari

45 ml (3 c. à soupe) de persil plat frais haché

1   Préchauffer le four à 190 °C (375 °F).

2   Dans une grande poêle, chauffer 30 ml (2 c. à soupe) d'huile à feu vif et y faire revenir les suprêmes 2 minutes de chaque côté. Saler et poivrer. Déposer sur une plaque tapissée de papier parchemin et enfourner 25 minutes.

3   Pendant ce temps, dans une casserole, chauffer les échalotes et le vin rouge et faire réduire du tiers. Ajouter le fond de volaille, l'ail, le thym, le romarin et la feuille de laurier. Saler et poivrer, puis mélanger. Porter à ébullition, réduire le feu et laisser mijoter de 7 à 8 minutes.

4   Dans une poêle, chauffer le reste de l'huile et y sauter les pleurotes avec la moitié du paprika de 4 à 5 minutes.

5   Retirer la feuille de laurier de la sauce et lier avec la fécule délayée dans le tamari. Cuire 1 minute. Passer 1 minute au mélangeur, puis au chinois. Remettre la sauce dans la casserole et y ajouter les pleurotes et 30 ml (2 c. à soupe) de persil. Rectifier l'assaisonnement au besoin avec le sel, le poivre et le reste du paprika. Réserver au chaud.

6   Découper les suprêmes de biais en trois morceaux. Verser un peu de sauce dans des assiettes individuelles, déposer quelques morceaux de pintade et parsemer du reste du persil.

La pintade, aussi nommée poule de Guinée, est une volaille de plus en plus populaire. La pintade propose une chair plus maigre et plus savoureuse que le poulet. Naturellement riche en vitamine A et en plusieurs vitamines du complexe B, la pintade est également plus riche en fer que le poulet.

Valeur nutritive par portion

Énergie :	293 kcal / 1 225 kJ
Protéines :	34,9 g
Glucides :	11,2 g
Fibres alimentaires :	2,4 g
Matières grasses :	10,7 g
Sodium :	843 mg
Fer :	3,5 mg
Calcium :	40 mg

La pintade est très savoureuse, mais a tendance à sécher rapidement et à durcir si elle est trop cuite ou tenue longtemps au chaud après la cuisson.

Cailles au gingembre, à la ciboulette et aux cerises de terre

Préparation
35 min

Cuisson
23 min

Portions
6

9 à 12 cailles

30 ml (2 c. à soupe) d'huile d'olive

sel et poivre, au goût

2 ml (1/2 c. à thé) de paprika doux

5 ml (1 c. à thé) d'ail haché

2 grosses échalotes françaises (100 g / 3 1/2 oz), hachées

125 ml (1/2 tasse) de vin blanc sec

250 ml (1 tasse) de fond de volaille

15 ml (1 c. à soupe) de miel

10 ml (2 c. à thé) de gingembre frais râpé finement

5 ml (1 c. à thé) de moutarde de Dijon

22 ml (1 1/2 c. à soupe) de fécule de marante

15 ml (1 c. à soupe) d'eau froide

30 ml (2 c. à soupe) de tamari

12 cerises de terre*, lavées et coupées en deux

125 ml (1/2 tasse) de ciboulette fraîche hachée

1   Préchauffer le four à 200 °C (400 °F).

2   Retirer les cuisses des cailles, puis lever les poitrines (comme pour le poulet). Dans une grande poêle, chauffer l'huile, puis y faire colorer légèrement les poitrines et les cuisses de 2 à 3 minutes. Assaisonner avec le sel, le poivre et le paprika. Déposer sur une plaque tapissée de papier parchemin. Enfourner 15 minutes pour les poitrines et 20 minutes pour les cuisses.

3   Pendant ce temps, dans une casserole, chauffer l'ail, les échalotes et le vin blanc et faire réduire de moitié. Ajouter le fond de volaille, le miel, le gingembre et la moutarde de Dijon. Saler et poivrer. Cuire 3 minutes en remuant. Lier avec la fécule délayée dans l'eau et le tamari. Cuire 1 minute. Passer 1 minute au mélangeur, puis au chinois. Remettre la sauce dans la casserole. Incorporer les cerises de terre. Rectifier l'assaisonnement au besoin. Réserver au chaud.

4   Verser un peu de sauce dans des assiettes individuelles, déposer quelques morceaux de caille et parsemer de ciboulette.

La cerise de terre, aussi nommée alkékenge, est une baie jaune ou orangée de la grosseur d'une bille. Pour la déguster, on doit retirer le calice, fine membrane ressemblant à du papier. Sucrée, mais aussi parfois surette, la cerise de terre accompagne aussi bien les viandes que les desserts. De plus, la cerise de terre est riche en pectine, un type de fibre soluble bénéfique pour la santé du cœur.

Valeur nutritive par portion

Énergie :	344 kcal / 1 440 kJ
Protéines :	42,3 g
Glucides :	9,5 g
Fibres alimentaires :	0,5 g
Matières grasses :	13,0 g
Sodium :	587 mg
Fer :	9,0 mg
Calcium :	43 mg

* ou raisins sans pépins

Conservez les carcasses de caille, car elles servent à préparer du fond de volaille. Dans une marmite, faites-les colorer, puis cuisez-les à découvert 2 heures 30 minutes dans l'eau à feu doux, sans remuer, avec une branche de céleri, un poireau, une carotte, coupés en tronçons, un oignon coupé grossièrement et un bouquet garni.

Habituellement, on prévoit une caille et demie à deux cailles par convive.

Vous pouvez également garder les cailles entières. Le temps de cuisson au four sera alors de 25 minutes.

Cuisses de canard à l'ail rôti, au miel et au romarin

Valeur nutritive par portion

Énergie :	172 kcal / 721 kJ
Protéines :	13,0 g
Glucides :	10,6 g
Fibres alimentaires :	0,4 g
Matières grasses :	8,9 g
Sodium :	442 mg
Fer :	1,4 mg
Calcium :	19 mg

Préparation
20 min

Cuisson
2 h

Portions
6

- 6 cuisses de canard
- 45 ml (3 c. à soupe) d'huile d'olive
- 6 gousses d'ail, non épluchées
- 2 branches de romarin frais, hachées grossièrement
- sel et poivre, au goût
- 500 ml (2 tasses) de fond de volaille
- 2 gousses d'ail, écrasées
- 30 ml (2 c. à soupe) de miel
- le jus d'un citron
- 15 ml (1 c. à soupe) de romarin frais haché
- 1 pointe de piment de Cayenne
- 22 ml (1 1/2 c. à soupe) de fécule de marante
- 15 ml (1 c. à soupe) d'eau froide
- 30 ml (2 c. à soupe) de tamari
- une branche de romarin frais

1 Préchauffer le four à 190 °C (375 °F).

2 Retirer l'excédent de graisse sur le côté extérieur des cuisses de canard.

3 Dans une poêle, chauffer 15 ml (1 c. à soupe) d'huile et y faire colorer les cuisses 2 minutes de chaque côté. Dans un plat allant au four, déposer les 6 gousses d'ail non épluchées, les 2 branches de romarin hachées grossièrement et les cuisses de canard. Ajouter 15 ml (1 c. à soupe) d'huile. Saler et poivrer. Enfourner 2 heures en ajoutant 250 ml (1 tasse) de fond de volaille à mi-cuisson et en retournant 2 à 3 fois en cours de cuisson.

4 Pendant ce temps, dans une casserole, chauffer le reste de l'huile et y faire rôtir les 2 gousses d'ail écrasées 1 minute à feu vif en remuant. Ajouter le miel et le jus de citron et faire réduire 1 minute. Ajouter le reste du fond de volaille, le romarin haché et le piment de Cayenne. Saler et poivrer, puis mélanger. Porter à ébullition, réduire le feu et laisser mijoter de 5 à 6 minutes à découvert. Lier avec la fécule délayée dans l'eau et le tamari. Cuire 2 minutes. Passer 1 minute au mélangeur, puis au chinois. Remettre la sauce dans la casserole. Rectifier l'assaisonnement au besoin. Réserver au chaud.

5 Dresser les cuisses dans un plat de service, napper de sauce et décorer avec une branche de romarin.

Après avoir cuit les cuisses, vous pouvez les déposer dans la sauce le temps de les servir afin de les garder au chaud et de les réhydrater, car la cuisson au four peut les assécher légèrement.

Après la cuisson au four, récupérez les gousses d'ail non épluchées, laissez-les refroidir un peu, épluchez-les, puis écrasez-les. Tartinez de cette purée quelques croûtons de pain et présentez ceux-ci en accompagnement, tout autour de votre plat de service.

Cuisses de lapin, sauce moutardée à l'estragon et aux tomates séchées

Préparation
25 min

Cuisson
1 h 40 min
à 1 h 55 min

Portions
6

45 ml (3 c. à soupe) d'huile d'olive

6 cuisses de lapin

sel et poivre, au goût

1 ml (1/4 c. à thé) de paprika doux

1 oignon espagnol moyen (250 g / 8 oz), coupé grossièrement

1 branche de céleri (100 g / 3 1/2 oz), en tronçons

1 carotte moyenne (80 g / environ 3 oz), pelée et taillée en tronçons

3 gousses d'ail, hachées grossièrement

5 ml (1 c. à thé) d'ail haché

2 grosses échalotes françaises (100 g / 3 1/2 oz), hachées

160 ml (2/3 tasse) de vin blanc sec

375 ml (1 1/2 tasse) de fond de volaille ou de veau

60 ml (4 c. à soupe) d'estragon frais haché

15 ml (1 c. à soupe) de moutarde de Dijon

30 ml (2 c. à soupe) de fécule de marante

15 ml (1 c. à soupe) d'eau froide

45 ml (3 c. à soupe) de tamari

5 ml (1 c. à thé) de moutarde de Meaux

30 ml (2 c. à soupe) de tomates séchées réhydratées et hachées

1   Préchauffer le four à 190 °C (375 °F).

2   Dans une poêle, chauffer la moitié de l'huile et y faire colorer les cuisses 3 minutes de chaque côté à feu vif. Assaisonner avec le sel, le poivre et le paprika.

3   Dans un plat allant au four, mettre le reste de l'huile, les cuisses, l'oignon, le céleri, la carotte et les 3 gousses d'ail hachées grossièrement. Enfourner 1 heure 30 minutes à 1 heure 45 minutes en retournant de temps à autre.

4   Pendant ce temps, dans une casserole, chauffer 5 ml (1 c. à thé) d'ail haché, les échalotes et le vin blanc et faire réduire de moitié. Ajouter le fond de volaille ou de veau, 30 ml (2 c. à soupe) d'estragon et la moutarde de Dijon. Saler et poivrer, puis mélanger. Cuire 5 minutes à feu moyen. Lier avec la fécule délayée dans l'eau et le tamari. Cuire 2 minutes. Passer 1 minute au mélangeur, puis au chinois. Remettre dans la casserole et ajouter la moutarde de Meaux, le reste de l'estragon et les tomates. Cuire 1 minute. Rectifier l'assaisonnement au besoin. Réserver au chaud.

5   Après avoir retiré les cuisses du four, les placer dans la poêle, dont on aura enlevé l'excédent de gras au préalable. Arroser avec la sauce et laisser mijoter de 2 à 3 minutes à découvert en retournant les cuisses à quelques reprises.

6   Déposer les cuisses dans des assiettes individuelles et napper de sauce.

Privilégiez les tomates séchées conservées à sec plutôt que celles conservées dans l'huile. Ces dernières sont gorgées d'huile, ce qui représente une quantité importante de matières grasses ajoutées à la recette. Une seule tomate séchée conservée dans l'huile fournit jusqu'à 3 g de gras alors que celle conservée à sec n'en contient pas du tout.

Valeur nutritive par portion

Énergie :	216 kcal / 905 kJ
Protéines :	14,1 g
Glucides :	14,4 g
Fibres alimentaires :	1,8 g
Matières grasses :	9,9 g
Sodium :	672 mg
Fer :	2,2 mg
Calcium :	62 mg

Râbles de lapin au fenouil et aux pignons, sauce à l'aneth

Préparation
25 min

Cuisson
50 min

Portions
6

45 ml (3 c. à soupe) de pignons

2 gros bulbes de fenouil (800 g / environ 1 1/2 lb)

sel et poivre, au goût

60 ml (4 c. à soupe) de moutarde de Dijon

60 ml (4 c. à soupe) d'aneth frais haché finement

45 ml (3 c. à soupe) de tomates séchées réhydratées et hachées finement

3 râbles de lapin entiers désossés de 300 g (environ 10 1/2 oz) chacun

30 ml (2 c. à soupe) d'huile d'olive

5 ml (1 c. à thé) de paprika doux

2 grosses échalotes françaises (100 g / 3 1/2 oz), hachées

5 ml (1 c. à thé) d'ail haché

125 ml (1/2 tasse) de vin blanc sec

310 ml (1 1/4 tasse) de fond de volaille ou de veau

30 ml (2 c. à soupe) de fécule de marante

15 ml (1 c. à soupe) d'eau froide

45 ml (3 c. à soupe) de tamari

quelques petites branches de fenouil

1   Préchauffer le four à 180 °C (350 °F).

2   Étaler les pignons sur une plaque et enfourner environ 6 minutes afin de les faire griller. À la sortie du four, réserver quelques-uns pour la décoration.

3   Couper les bulbes de fenouil en deux sur la longueur, enlever le cœur, séparer les feuilles et les blanchir 2 minutes à l'eau bouillante. Égoutter, saler et poivrer, puis laisser refroidir. Émincer ensuite finement et mélanger dans un cul-de-poule avec 30 ml (2 c. à soupe) de moutarde de Dijon et d'aneth, les tomates et les pignons.

4   Augmenter la température du four à 190 °C (375 °F).

5   Couper les râbles en deux sur la longueur. Enduire de la préparation au fenouil, rouler en pressant légèrement et ficeler.

6   Dans une grande poêle, chauffer 15 ml (1 c. à soupe) d'huile, saisir et faire colorer légèrement la moitié des râbles de 2 à 3 minutes de chaque côté. Assaisonner avec le sel, le poivre et la moitié du paprika, puis déposer sur une plaque tapissée de papier parchemin. Répéter les mêmes opérations avec le reste des râbles. Enfourner 30 minutes.

7   Pendant ce temps, dans une casserole, chauffer les échalotes, l'ail et le vin blanc et faire réduire de moitié. Ajouter le fond de volaille ou de veau. Poivrer, puis porter à ébullition. Réduire le feu et laisser mijoter de 3 à 4 minutes à découvert, tout en incorporant le reste de la moutarde de Dijon. Lier avec la fécule délayée dans l'eau et le tamari. Cuire 1 minute. Passer 1 minute au mélangeur, puis au chinois. Remettre la sauce dans la casserole. Incorporer le reste de l'aneth. Rectifier l'assaisonnement au besoin. Réserver au chaud.

8   Retirer la ficelle des râbles et les découper légèrement de biais en quatre morceaux. Déposer quelques morceaux de lapin dans des assiettes individuelles et napper de sauce. Garnir de quelques pignons et d'une petite branche de fenouil.

Le pignon, communément appelé noix de pin, est assez dispendieux, puisque seulement les pins âgés de plus de 25 ans produisent des pignons et il faut attendre que l'arbre ait au moins 75 ans pour que son rendement soit appréciable. De plus, la culture des pignons doit être effectuée à la main. Cette graine est savoureuse, en plus d'être riche en fibres et en zinc, un oligo-élément jouant un rôle dans la modulation de l'humeur et dans l'apprentissage, ainsi qu'au niveau de la vision, du goût et de l'odorat.

Valeur nutritive par portion

Énergie :	388 kcal / 1 625 kJ
Protéines :	35,8 g
Glucides :	19,3 g
Fibres alimentaires :	5,8 g
Matières grasses :	17,9 g
Sodium :	845 mg
Fer :	4,6 mg
Calcium :	111 mg

Sauté d'agneau aux olives noires

Préparation
30 min

Cuisson
2 h à 2 h 15 min

Portions
6

30 ml (2 c. à soupe) d'huile d'olive

1 kg (2 lb) d'agneau (longe, épaule, gigot), en cubes de 3 cm (1 1/4 po)

1 oignon espagnol moyen (250 g / 8 oz), en cubes

30 ml (2 c. à soupe) d'ail haché

1 grosse carotte (100 g / 3 1/2 oz), pelée et taillée en rondelles

250 ml (1 tasse) de vin blanc sec

500 ml (2 tasses) de tomates fraîches concassées

1 cube pour bouillon aux légumes

30 ml (2 c. à soupe) de thym frais haché

30 ml (2 c. à soupe) de basilic frais haché

30 ml (2 c. à soupe) de romarin frais haché

1 feuille de laurier

1 litre (4 tasses) de fond de veau* ou de volaille

sel et poivre, au goût

10 olives noires de Calamata, dénoyautées et hachées grossièrement

30 ml (2 c. à soupe) de fécule de marante

125 ml (1/2 tasse) d'eau froide

30 ml (2 c. à soupe) de ciboulette fraîche hachée

1 Dans une poêle, chauffer 15 ml (1 c. à soupe) d'huile et y faire colorer la moitié de la viande 3 minutes à feu vif. Transférer dans une grande casserole. Répéter les mêmes opérations avec le reste de la viande.

2 Dans la même poêle, sauter l'oignon, l'ail et la carotte 2 minutes. Déglacer avec le vin blanc et transférer dans la grande casserole.

3 Dans la grande casserole, ajouter les tomates, le cube pour bouillon aux légumes, le thym, le basilic, le romarin, la feuille de laurier et la moitié du fond de veau ou de volaille. Saler et poivrer, puis mélanger. Porter à ébullition, réduire le feu et laisser mijoter 1 heure à découvert en remuant de temps à autre.

4 Ajouter le reste du fond de veau ou de volaille et laisser mijoter de 45 à 60 minutes de plus ou jusqu'à ce que la viande soit tendre (ajouter les olives 15 minutes avant la fin de la cuisson). Retirer la feuille de laurier. Lier avec la fécule délayée dans l'eau. Cuire 5 minutes. Rectifier l'assaisonnement au besoin.

5 Dresser dans un plat de service et parsemer de ciboulette.

Quoique la viande d'agneau soit l'une des plus tendres, des plus délicates et des plus parfumées, cette viande est tout de même riche en matières grasses. Le gigot (cuisse) et la longe (dos) sont par contre plus maigres que l'épaule. Si vous le pouvez, choisissez l'agneau de Charlevoix. Sa viande possède une saveur particulièrement recherchée, l'animal se nourrissant des herbes salées et iodées bordant le fleuve Saint-Laurent.

Valeur nutritive par portion

Énergie :	396 kcal / 1 653 kJ
Protéines :	39,7 g
Glucides :	13,0 g
Fibres alimentaires :	2,4 g
Matières grasses :	17,1 g
Sodium :	485 mg
Fer :	4,4 mg
Calcium :	119 mg

* de préférence

Si les olives noires sont trop salées ou si leur goût est trop fort, mettez-les dans une petite casserole avec de l'eau froide et portez à ébullition. Retirez-les du feu et rincez-les à l'eau froide.

Vous pouvez utiliser également des morceaux avec de l'os, tels le collier ou le jarret; votre plat n'en sera que plus savoureux.

Côtes de veau de lait au bleu de Saint-Benoît-du-Lac

Veau de lait ou veau de grain ? Le veau de grain est nourri de lait pendant les deux premiers mois de sa vie et ensuite, de grains de maïs et d'autres protéines végétales jusqu'à sa mise en marché. Pour sa part, le veau de lait ne reçoit que du lait pendant toute sa vie. Son alimentation est donc presque dépourvue de fer, ce qui permet d'obtenir une viande plus blanche et plus tendre que le veau de grain. Dans les deux cas, la viande du veau est riche en protéines et très faible en matières grasses.

Valeur nutritive par portion

Énergie :	393 kcal / 1 646 kJ
Protéines :	44,4 g
Glucides :	5,1 g
Fibres alimentaires :	0,4 g
Matières grasses :	19,1 g
Sodium :	529 mg
Fer :	2,5 mg
Calcium :	119 mg

Préparation 25 min

Marinade 2 h

Cuisson 30 à 35 min

Portions 6

6 côtes de veau de lait de 180 à 200 g (6 à 7 oz) chacune

30 ml (2 c. à soupe) d'huile aux herbes (p. 23)

30 ml (2 c. à soupe) d'huile d'olive

sel et poivre, au goût

Sauce

3 échalotes françaises (100 g / 3 1/2 oz), hachées grossièrement

160 ml (2/3 tasse) de vin blanc sec

250 ml (1 tasse) de fond de veau* ou de volaille

5 ml (1 c. à thé) de thym frais haché

5 ml (1 c. à thé) de romarin frais haché

3 oignons verts, hachés

sel et poivre, au goût

80 g (environ 3 oz) de fromage bleu Bénédictin de Saint-Benoît, émietté grossièrement

7 ml (1/2 c. à soupe) de fécule de marante

30 ml (2 c. à soupe) d'eau froide

45 ml (3 c. à soupe) de ciboulette à l'ail* fraîche émincée finement

1 Badigeonner les côtes d'huile aux herbes et les déposer dans un grand plat en verre. Couvrir d'une pellicule de plastique. Laisser mariner 2 heures au réfrigérateur.

2 Préchauffer le four à 190 °C (375 °F).

3 Dans une casserole, chauffer les échalotes et le vin blanc et faire réduire de moitié. Ajouter le fond de veau ou de volaille, le thym, le romarin et les oignons verts. Saler et poivrer, puis mélanger. Porter à ébullition, réduire le feu et laisser mijoter de 3 à 4 minutes à découvert.

4 Ajouter le fromage. Passer 1 minute au mélangeur, puis au chinois en foulant avec une grosse cuillère. Remettre à chauffer dans la casserole jusqu'à l'obtention d'un frémissement léger et lier avec la fécule délayée dans l'eau. Retirer du feu dès l'épaississement de la sauce. Incorporer la ciboulette. Rectifier l'assaisonnement au besoin**. Réserver au chaud.

5 Dans une grande poêle, chauffer la moitié de l'huile d'olive à feu moyen et y faire colorer la moitié des côtes 2 minutes de chaque côté. Déposer sur une plaque tapissée de papier parchemin. Répéter les mêmes opérations avec le reste des côtes. Enfourner de 15 à 20 minutes. Retirer du four, saler et poivrer, puis laisser reposer de 2 à 3 minutes (couvrir de papier d'aluminium pour réserver au chaud).

6 Déposer les côtes dans des assiettes individuelles et servir avec la sauce à part, dans une saucière.

de préférence

*** Attention au sel, car le fromage est déjà salé.*

Vous pouvez réaliser cette recette avec d'autres fromages bleus, tels que celui d'Auvergne, le danois ou le gorgonzola.

Mijoté de caribou aux bleuets

Préparation
25 min

Marinade
24 h

Cuisson
2 h

Portions
6

1 bouteille d'un bon vin rouge

1 carotte moyenne (80 g / environ 3 oz), pelée et taillée en rondelles

1 oignon espagnol moyen (250 g / 8 oz), en quartiers

3 gousses d'ail, épluchées

1 feuille de laurier

1 branche de thym frais

1 branche de romarin frais

3 ou 4 grains de poivre

2 ou 3 baies de genièvre

1,2 kg (2 1/2 lb) de cubes de caribou

45 ml (3 c. à soupe) d'huile d'olive

3 grosses échalotes françaises (150 g / 5 oz), hachées

2 branches de persil plat frais

5 ml (1 c. à thé) de thym frais haché

5 ml (1 c. à thé) de romarin frais haché

60 ml (1/4 tasse) de vinaigre de vin rouge

30 ml (2 c. à soupe) de sucre de canne fin

1 pointe de piment de Cayenne

1 litre (4 tasses) de fond de veau* ou de volaille

sel et poivre, au goût

30 ml (2 c. à soupe) de fécule de marante

15 ml (1 c. à soupe) d'eau froide

45 ml (3 c. à soupe) de tamari

500 ml (2 tasses) de bleuets frais ou surgelés

2 oignons verts, hachés

1   Dans un grand plat en verre, mélanger le vin rouge, la carotte, l'oignon, l'ail, la feuille de laurier, les branches de thym et de romarin, les grains de poivre et les baies de genièvre. Ajouter les cubes de caribou et les retourner pour bien les enrober. Couvrir d'une pellicule de plastique. Laisser mariner 24 heures au réfrigérateur en retournant à mi-temps.

2   Égoutter la viande, tout en conservant la marinade, la carotte et l'ail. Hacher l'ail. Réserver.

3   Dans une grande marmite, chauffer l'huile et y faire revenir les cubes 3 minutes en remuant. Ajouter les échalotes et l'ail hachés et cuire de 2 à 3 minutes à feu vif en remuant. Ajouter la marinade, la carotte, les branches de persil, le thym et le romarin hachés, le vinaigre de vin rouge, le sucre, le piment de Cayenne et 500 ml (2 tasses) de fond de veau ou de volaille. Saler et poivrer, puis mélanger. Porter à ébullition, réduire le feu et cuire à découvert 1 heure à feu moyen. Ajouter 250 ml (1 tasse) de fond de veau ou de volaille et cuire 30 minutes de plus. Lier avec la fécule délayée dans l'eau et le tamari.

4   Passer le reste du fond de veau ou de volaille avec la moitié des bleuets au mélangeur jusqu'à l'obtention d'une texture lisse et ajouter dans la marmite. Ajouter le reste des bleuets et laisser mijoter 30 minutes de plus ou jusqu'à ce que la viande soit tendre.

5   Retirer les branches de persil. Rectifier l'assaisonnement au besoin.

6   Dresser dans un plat de service et garnir d'oignons verts.

* de préférence

Si la sauce devient trop épaisse, ajoutez simplement 125 ml (1/2 tasse) d'eau.

Pour une longue cuisson, il est préférable d'utiliser une marmite à fond épais.

Le bleuet renferme un pigment bleu foncé, parfois presque noir, auquel on attribue la plupart des propriétés médicinales de ces baies. Grâce à ce pigment, le bleuet figure parmi les meilleures sources d'antioxydants. De plus en plus d'études démontrent le lien entre les antioxydants et la prévention des maladies cardiaques, du cancer, des cataractes et des autres maladies reliées au vieillissement.

Valeur nutritive par portion

Énergie :	547 kcal / 2 287 kJ
Protéines :	48,9 g
Glucides :	28,3 g
Fibres alimentaires :	2,7 g
Matières grasses :	17,3 g
Sodium :	726 mg
Fer :	9,6 mg
Calcium :	109 mg

Le Spa Eastman

LÉGUMES

Tian d'aubergines et de poivrons

Préparation
20 min

Cuisson
2 h 30 min

Portions
6

1 kg (2 lb) d'aubergines

1 petit oignon espagnol (200 g / 7 oz)

5 poivrons rouges (1 kg / 2 lb)

45 ml (3 c. à soupe) d'huile d'olive

60 ml (1/4 tasse) d'ail haché

6 branches de basilic frais (50 g / 1 3/4 oz), hachées grossièrement

15 ml (1 c. à soupe) de thym frais haché

15 ml (1 c. à soupe) d'origan frais haché

15 ml (1 c. à soupe) de romarin frais haché

75 ml (5 c. à soupe) de persil plat frais haché

sel et poivre, au goût

1 Préchauffer le four à 190 °C (375 °F).

2 Peler les aubergines, les couper en deux sur la longueur, puis les émincer sur la largeur à 5 mm (1/4 po) d'épaisseur.

3 Couper l'oignon en deux, puis l'émincer à 5 mm (1/4 po) d'épaisseur.

4 Couper les poivrons en quatre, puis les évider.

5 Dans un grand cul-de-poule, mélanger les légumes, 30 ml (2 c. à soupe) d'huile, l'ail, le basilic, le thym, l'origan, le romarin et 45 ml (3 c. à soupe) de persil. Saler et poivrer.

6 Transférer dans un plat allant au four de 23 x 28 cm (9 x 11 po) en tassant et en conservant quelques quartiers de poivron pour déposer sur le dessus (peau vers le haut). Arroser du reste de l'huile.

7 Enfourner 2 heures 30 minutes en tassant à l'aide d'une spatule de temps à autre afin que les légumes cuisent bien dans leur jus et dans l'huile d'olive. À la sortie du four, retirer le surplus de liquide.

8 Parsemer du reste du persil et servir.

Ingrédient indispensable de la cuisine méditerranéenne, l'aubergine s'accompagne souvent de tomates, d'ail et d'huile d'olive. La peau colorée de l'aubergine est riche en antioxydants tandis que sa chair constitue une bonne source de potassium, un élément contribuant à prévenir l'hypertension artérielle, les calculs rénaux et les accidents vasculaires cérébraux.

Valeur nutritive par portion

Énergie :	170 kcal / 716 kJ
Protéines :	4,2 g
Glucides :	25,6 g
Fibres alimentaires :	10,1 g
Matières grasses :	7,7 g
Sodium :	49 mg
Fer :	1,9 mg
Calcium :	63 mg

Émincé de petits navets blancs aux pruneaux

Les navets et les pruneaux, deux bonnes sources de fibres, permettent à cet accompagnement d'atteindre 4,4 g de fibres. Saviez-vous que la consommation moyenne de fibres des Canadiens est de 10 g par jour alors qu'il est recommandé d'en consommer au moins 30 g ? À chaque repas, choisissez des recettes contenant au moins 4 g de fibres et composez vos collations de fruits, de légumes, de noix ou de produits céréaliers à grains entiers. Vous atteindrez ainsi les recommandations sans problème. De plus, n'oubliez pas de bien vous hydrater. Les fibres seront ainsi plus efficaces et mieux tolérées.

Valeur nutritive par portion

Énergie :	225 kcal / 942 kJ
Protéines :	5,9 g
Glucides :	41,3 g
Fibres alimentaires :	4,4 g
Matières grasses :	5,8 g
Sodium :	198 mg
Fer :	2,2 mg
Calcium :	154 mg

Préparation 15 min

Cuisson 45 min

Portions 6

12 petits navets blancs « rabioles » (1,2 kg / 2 1/2 lb)

15 ml (1 c. à soupe) d'huile d'olive

1 petit oignon espagnol (200 g / 7 oz), haché finement

15 pruneaux séchés (150 g / 5 oz), réhydratés, dénoyautés et hachés finement

90 ml (6 c. à soupe) de persil plat frais haché

3 jaunes d'œufs

30 ml (2 c. à soupe) de thym frais haché

30 ml (2 c. à soupe) de romarin frais haché

250 ml (1 tasse) de lait à 2 %

sel et poivre, au goût

1. Peler les navets, les laver, les assécher et les tailler en julienne.

2. Dans une poêle, chauffer l'huile et y faire suer les navets et l'oignon 25 minutes. Retirer ensuite le surplus de liquide.

3. Entre-temps, préchauffer le four à 200 °C (400 °F).

4. Ajouter les pruneaux, 60 ml (4 c. à soupe) de persil, les jaunes d'œufs, le thym, le romarin et le lait. Saler et poivrer, puis bien mélanger.

5. Transférer dans un plat allant au four de 23 x 28 cm (9 x 11 po). Parsemer du reste du persil. Enfourner 20 minutes.

6. Servir directement dans le plat de cuisson.

Servez avec des cuisses de canard rôties ou un gibier.

Fenouil aux figues

Préparation
20 min

Attente
1 h

Cuisson
43 min

Portions
6

6 bulbes de fenouil (1,5 kg / 3 lb)

3 litres (12 tasses) d'eau froide

le jus de 2 citrons

30 ml (2 c. à soupe) d'huile d'olive

1 petit oignon rouge (250 g / 8 oz), en julienne

15 ml (1 c. à soupe) d'ail haché

250 ml (1 tasse) de vin blanc sec

250 ml (1 tasse) de fond de volaille

7 à 8 figues séchées (150 g / 5 oz), en petits dés

1 pointe de curcuma moulu

sel et poivre, au goût

45 ml (3 c. à soupe) d'aneth frais haché

une petite branche de fenouil

1   Couper les bulbes de fenouil en deux sur la longueur et enlever la base du cœur. Dans une casserole, verser l'eau et le jus de citron et porter à ébullition. Ajouter le fenouil et cuire 20 minutes à feu moyen. Laisser refroidir 1 heure dans l'eau de cuisson. Égoutter et émincer sur la longueur.

2   Dans une poêle, chauffer l'huile et y faire tomber l'oignon et l'ail de 2 à 3 minutes en remuant. Ajouter le fenouil, le vin blanc, le fond de volaille, les figues séchées et le curcuma. Saler et poivrer, puis mélanger. Porter à ébullition, réduire le feu et laisser mijoter 20 minutes à découvert en remuant de temps à autre. Ajouter l'aneth. Rectifier l'assaisonnement au besoin.

3   Dresser dans un plat de service et décorer avec une petite branche de fenouil.

Selon certaines études, les fruits et les légumes biologiques contiendraient moins de nitrates, une substance potentiellement cancérigène, et seraient légèrement plus concentrés en oligo-éléments, vitamine C, fer, magnésium, phosphore et sélénium. Cette différence nutritionnelle viendrait du fait qu'en version bio, l'aliment renferme moins d'eau, n'ayant pas été traité aux engrais chimiques. Lorsque c'est possible, vous avez donc avantage à opter pour les fruits et les légumes issus de l'agriculture biologique.

Valeur nutritive par portion

Énergie :	236 kcal / 988 kJ
Protéines :	5,4 g
Glucides :	41,1 g
Fibres alimentaires :	10,9 g
Matières grasses :	5,3 g
Sodium :	281 mg
Fer :	5,7 mg
Calcium :	182 mg

Accompagne très bien un poisson grillé.

Croquettes de céleris-raves aux oignons verts

Préparation
20 min

Réfrigération
15 min

Cuisson
40 min

Portions
6 à 7

3 céleris-raves (1,2 kg / 2 1/2 lb), pelés et taillés en cubes

500 g (environ 1 lb) de pommes de terre, pelées et taillées en cubes

5 à 6 oignons verts (100 g / 3 1/2 oz), hachés finement

5 ml (1 c. à thé) de muscade fraîchement râpée

60 ml (1/4 tasse) de farine d'épeautre

sel et poivre, au goût

45 ml (3 c. à soupe) d'huile d'olive

1 Dans une casserole d'eau bouillante, cuire les céleris-raves et les pommes de terre 25 minutes. Laisser égoutter quelques minutes.

2 Dans un cul-de-poule, mettre les céleris-raves, les pommes de terre, les oignons verts, la muscade et la moitié de la farine. Saler et poivrer. Mélanger en écrasant les céleris-raves et les pommes de terre jusqu'à l'obtention d'une texture homogène. Réfrigérer 15 minutes.

3 Préchauffer le four à 200 °C (400 °F).

4 Façonner les croquettes, puis les saupoudrer du reste de la farine.

5 Dans une grande poêle, chauffer 22 ml (1 1/2 c. à soupe) d'huile et y faire colorer la moitié des croquettes 1 minute de chaque côté. Déposer sur une plaque tapissée de papier parchemin. Répéter les mêmes opérations avec le reste des croquettes. Enfourner 10 minutes.

Quoique de plus en plus populaire, le céleri-rave demeure tout de même un légume peu connu. Ce légume racine, de la même famille que la carotte, possède un goût de noisette légèrement citronné. Si vous ne l'utilisez pas immédiatement après l'avoir coupé, déposez-le dans de l'eau légèrement citronnée afin de prévenir son brunissement. Plusieurs fruits et légumes s'oxydent au contact de l'air. Une fois coupées, les parois cellulaires de l'aliment sont brisées, ce qui libère des enzymes. Ces dernières, au contact de l'air, dégradent les sucres de l'aliment et provoquent son brunissement. Le citron, un antioxydant, freine cette réaction.

Valeur nutritive par portion (donne 7 portions)

Énergie :	191 kcal / 800 kJ
Protéines :	4,5 g
Glucides :	30,6 g
Fibres alimentaires :	5,6 g
Matières grasses :	6,6 g
Sodium :	210 mg
Fer :	1,9 mg
Calcium :	87 mg

Accompagne très bien les poissons.

Poireaux aux épices

Évitez d'acheter des herbes et des épices séchées en trop grande quantité. Leur saveur et leur parfum se dégradent rapidement. Conservez-les dans un contenant opaque, hermétique et le plus petit possible puisque l'air oxyde l'épice et ainsi nuit à sa conservation. Il est même recommandé de les conserver au congélateur ou du moins au réfrigérateur, mais surtout, évitez de les conserver au-dessus de la cuisinière. Cette source de chaleur aura tôt fait de détruire leur parfum.

Valeur nutritive par portion

Énergie :	169 kcal / 710 kJ
Protéines :	6,5 g
Glucides :	26,8 g
Fibres alimentaires :	3,4 g
Matières grasses :	5,2 g
Sodium :	498 mg
Fer :	4,3 mg
Calcium :	120 mg

Préparation
15 min

Attente
10 min

Cuisson
35 min

Portions
6

30 ml (2 c. à soupe) d'huile d'olive

30 ml (2 c. à soupe) de fleurs d'ail*

5 ml (1 c. à thé) de graines de coriandre

5 ml (1 c. à thé) de graines de carvi

5 ml (1 c. à thé) de graines de cumin

1 litre (4 tasses) de fond de volaille

le jus d'un citron

sel et poivre, au goût

5 à 6 blancs de poireaux (1 kg / 2 lb), lavés

2 oignons verts, hachés finement

1   Dans une grande casserole, chauffer la moitié de l'huile et y faire rôtir doucement la fleur d'ail, les graines de coriandre, de carvi et de cumin de 2 à 3 minutes en remuant, tout en écrasant un peu les graines à l'aide d'une cuillère.

2   Ajouter le fond de volaille et le jus de citron. Saler et poivrer, puis mélanger. Porter à ébullition, réduire le feu et laisser mijoter de 2 à 3 minutes. Retirer du feu et laisser infuser 10 minutes à couvert. Passer à l'étamine ou dans une passoire à mailles fines et réserver le liquide.

3   Déposer les blancs de poireaux dans la grande casserole, verser l'infusion et porter à ébullition. Réduire le feu et laisser mijoter environ 25 minutes en remuant de temps à autre. Retirer les blancs, les égoutter et les tailler en tronçons de 3 cm (1 1/4 po).

4   Faire réduire le bouillon de 2 à 3 minutes et le passer au mélangeur avec le reste de l'huile. Rectifier l'assaisonnement au besoin.

5   Dresser les poireaux dans des assiettes individuelles et napper de bouillon. Garnir d'oignons verts.

ou 15 ml (1 c. à soupe) d'ail haché

Chou au yogourt

Préparation
15 min

Cuisson
40 min

Portions
6

1/2 chou blanc (1 kg / 2 lb), émincé à 1 cm (1/2 po) d'épaisseur

30 ml (2 c. à soupe) d'huile d'olive

1 oignon blanc (300 g / environ 10 1/2 oz), en julienne

15 ml (1 c. à soupe) d'ail haché

1 litre (4 tasses) de fond de volaille

2 ml (1/2 c. à thé) de graines de carvi

2 ml (1/2 c. à thé) de cumin moulu

30 ml (2 c. à soupe) de paprika doux

30 ml (2 c. à soupe) de tamari

1 feuille de laurier

sel et poivre, au goût

45 ml (3 c. à soupe) de persil plat frais haché

80 ml (1/3 tasse) de yogourt nature

1   Blanchir le chou 5 minutes à l'eau bouillante. Égoutter.

2   Dans une casserole, chauffer l'huile et y faire suer l'oignon et l'ail de 2 à 3 minutes. Ajouter le chou, le fond de volaille, les graines de carvi, le cumin, le paprika, le tamari et la feuille de laurier. Saler et poivrer, puis mélanger. Porter à ébullition, réduire le feu et cuire 30 minutes à feu moyen en remuant de temps à autre. Égoutter et remettre dans la casserole avec le persil et le yogourt. Réchauffer légèrement. Retirer la feuille de laurier.

3   Rectifier l'assaisonnement au besoin.

Choisissez de préférence des yogourts contenant des *lactobacillus acidophilus* ou des *bifidus*, deux types de bactéries probiotiques, c'est-à-dire des bactéries ayant des effets bénéfiques pour la santé. Parmi les bienfaits associés à ces « bonnes » bactéries, on note la prévention et le traitement des maladies gastro-intestinales, la prévention d'infections urinaires et vaginales ainsi que la prévention de certaines allergies. L'effet le plus marqué des probiotiques consiste à prévenir ou traiter les diarrhées causées par la prise d'antibiotiques, par un virus ou par la *turista*.

Valeur nutritive par portion

Énergie :	143 kcal / 600 kJ
Protéines :	8,3 g
Glucides :	18,9 g
Fibres alimentaires :	5,6 g
Matières grasses :	5,4 g
Sodium :	474 mg
Fer :	2,5 mg
Calcium :	134 mg

Servez avec les Suprêmes de pintade aux pleurotes (p. 105).

Purée de panais à l'estragon

Valeur nutritive par portion

Énergie :	142 kcal / 595 kJ
Protéines :	1,9 g
Glucides :	24,4 g
Fibres alimentaires :	6,2 g
Matières grasses :	5,0 g
Sodium :	53 mg
Fer :	1,2 mg
Calcium :	59 mg

Préparation
15 min

Cuisson
30 min

Portions
6

750 g (1 1/2 lb) de panais, pelés et taillés en gros cubes

30 ml (2 c. à soupe) d'huile d'olive

1 échalote française, hachée finement

60 ml (1/4 tasse) d'eau

45 ml (3 c. à soupe) d'estragon frais haché

sel et poivre, au goût

1 Dans une casserole d'eau bouillante, cuire les panais 30 minutes. Égoutter.

2 Entre-temps, dans une casserole, chauffer l'huile et y faire suer l'échalote 2 minutes. Ajouter les panais, l'eau et l'estragon. Saler et poivrer, puis mélanger. Passer au presse-purée. Remettre dans la casserole pour réchauffer légèrement. Rectifier l'assaisonnement au besoin.

3 Former une grosse quenelle à l'aide de deux cuillères de service et dresser dans des assiettes individuelles.

Purée de patates douces
à l'ail rôti

Préparation
20 min

Cuisson
30 min

Portions
6

750 g (1 1/2 lb) de patates douces, pelées et taillées en gros cubes

30 ml (2 c. à soupe) d'huile d'olive

45 ml (3 c. à soupe) d'ail haché

1 échalote française, hachée finement

60 ml (1/4 tasse) d'eau

45 ml (3 c. à soupe) de persil plat frais haché

sel et poivre, au goût

1 Dans une casserole d'eau bouillante, cuire les patates douces 30 minutes. Égoutter.

2 Entre-temps, dans une casserole, chauffer l'huile et y faire rôtir l'ail légèrement. Ajouter l'échalote et faire suer 2 minutes. Ajouter les patates douces, l'eau et le persil. Saler et poivrer, puis mélanger. Passer au presse-purée. Remettre dans la casserole pour réchauffer légèrement. Rectifier l'assaisonnement au besoin.

3 Former une grosse quenelle à l'aide de deux cuillères de service et dresser dans chacune des assiettes individuelles.

La chair de la patate douce se cuisine comme celle de la pomme de terre : au four, en potage, en purée ou dans les gratins. Utilisez-la dans vos recettes à la place de la pomme de terre. Elle est plus riche en amidon et en plusieurs vitamines et minéraux, ce qui la rend plus nutritive que la pomme de terre. Il ne faut pas la conserver au réfrigérateur, le froid endommagera sa chair et la rendra moins savoureuse. Elle risque aussi de germer et de fermenter plus facilement.

Valeur nutritive par portion

Énergie :	160 kcal / 669 kJ
Protéines :	2,5 g
Glucides :	28,1 g
Fibres alimentaires :	3,9 g
Matières grasses :	4,6 g
Sodium :	110 mg
Fer :	1,1 mg
Calcium :	51 mg

Faire tremper les deux cuillères de service dans de l'eau chaude aide à faire glisser la purée d'une cuillère à l'autre.

Servez ces deux purées ensemble pour un savoureux mélange de saveurs.

Endives braisées aux amandes

Préparation
15 min

Cuisson
48 min

Portions
6

6 endives moyennes

15 ml (1 c. à soupe) d'huile d'olive

le jus d'un citron

sel et poivre, au goût

160 ml (2/3 tasse) de boisson de soya

15 ml (1 c. à soupe) de fécule de marante

30 ml (2 c. à soupe) d'eau froide

160 ml (2/3 tasse) d'amandes effilées

poivre du moulin

15 ml (1 c. à soupe) de ciboulette fraîche hachée

1 Préchauffer le four à 190 °C (375 °F).

2 Couper les endives en deux sur la longueur, puis couper le pied et enlever un peu du cœur à la base. Verser l'huile dans un plat allant au four de 23 × 28 cm (9 × 11 po). Ajouter les endives, les retourner à quelques reprises afin de bien les enrober d'huile, les arroser avec le jus de citron, puis les placer face arrondie vers le haut. Saler et poivrer. Couvrir de papier d'aluminium et enfourner 40 minutes. À la sortie du four, retirer le surplus de liquide.

3 Entre-temps, chauffer la boisson de soya. Lier avec la fécule délayée dans l'eau. Passer au mélangeur avec 125 ml (1/2 tasse) d'amandes et un peu de sel et de poivre jusqu'à l'obtention d'une texture lisse, puis en napper les endives.

4 Garnir du reste des amandes et enfourner 8 minutes à découvert.

5 Donner un tour de moulin à poivre, parsemer de ciboulette et servir.

Connaissez-vous la différence entre la boisson de soya et la boisson de riz ? Sachez que toutes deux possèdent pratiquement les mêmes propriétés culinaires. Cependant, la boisson de soya contient huit fois plus de protéines que la boisson de riz. La boisson de soya, lorsqu'elle est enrichie de calcium et de vitamine D, est donc la seule boisson végétale contenant assez de protéines pour remplacer le lait de vache dans notre alimentation.

Valeur nutritive par portion

Énergie :	109 kcal / 455 kJ
Protéines :	3,1 g
Glucides :	9,0 g
Fibres alimentaires :	1,3 g
Matières grasses :	7,6 g
Sodium :	65 mg
Fer :	1,1 mg
Calcium :	67 mg

Si vous n'avez pas de boisson de soya, vous pouvez utiliser du lait à 2 %.

Étagés de courgettes

La courgette, communément appelée zucchini, est en fait un fruit, que l'on consomme comme un légume. Elle fait partie de la famille des courges d'été, plus fragiles et périssables que les courges d'hiver comme la courge poivrée, la courge spaghetti ou le potiron. La courgette contient une bonne dose de fibres et du potassium. Afin de l'apprécier pleinement, privilégiez les petites courgettes, elles seront plus tendres et moins fibreuses.

Valeur nutritive par portion

Énergie :	135 kcal / 569 kJ
Protéines :	7,0 g
Glucides :	16,3 g
Fibres alimentaires :	3,7 g
Matières grasses :	6,3 g
Sodium :	387 mg
Fer :	2,3 mg
Calcium :	142 mg

Préparation
25 min

Cuisson
35 à 40 min

Portions
6

4 courgettes de 250 à 300 g (8 à environ 10 1/2 oz) chacune

15 ml (1 c. à soupe) d'huile d'olive

2 grosses échalotes françaises (100 g / 3 1/2 oz), hachées finement

15 ml (1 c. à soupe) d'ail haché

30 ml (2 c. à soupe) de thym frais haché

30 ml (2 c. à soupe) de romarin frais haché

15 ml (1 c. à soupe) d'huile aux herbes (p. 23)

10 morceaux de tomates séchées (60 g / 2 oz), réhydratés et hachés

45 ml (3 c. à soupe) de persil plat frais haché

sel et poivre, au goût

45 ml (3 c. à soupe) de parmesan râpé

1   Émincer les courgettes à 3 mm (1/8 po) d'épaisseur à l'aide d'une mandoline ou d'un couteau.

2   Dans une casserole, chauffer l'huile d'olive et y faire suer les échalotes, les courgettes et l'ail avec le thym et le romarin 5 minutes. Ajouter l'huile aux herbes et cuire 20 minutes de plus à feu moyen en remuant de temps à autre. Ajouter les tomates et le persil. Saler et poivrer, puis mélanger. Retirer le surplus de liquide au besoin. Rectifier l'assaisonnement au besoin.

3   Préchauffer le four à 200 °C (400 °F).

4   Déposer un cercle de pâtisserie* d'environ 8 cm (3 po) de diamètre et de 2,5 cm (1 po) de hauteur sur une plaque tapissée de papier parchemin. Remplir le cercle à ras bord de la préparation aux courgettes en tassant avec une cuillère et saupoudrer d'un peu de parmesan. Retirer doucement le cercle et répéter les mêmes opérations pour les cinq autres étagés. Enfourner de 10 à 15 minutes.

* Vous n'avez pas cet accessoire de cuisine? Placez simplement les courgettes dans un plat allant au four, saupoudrez de parmesan et enfournez de 10 à 15 minutes à 200 °C (400 °F).

Compote d'oignons au vin rouge et à l'orange

Préparation
25 min

Cuisson
1 h 40 min

Portions
6

30 ml (2 c. à soupe) d'huile d'olive

8 oignons espagnols moyens (2,5 kg / 5 lb), en fine julienne

60 ml (1/4 tasse) d'ail haché finement

500 ml (2 tasses) de vin rouge

125 ml (1/2 tasse) de vinaigre de vin rouge

le zeste haché, blanchi et refroidi et le jus de 3 oranges

45 ml (3 c. à soupe) de sucre de canne fin

45 ml (3 c. à soupe) de tamari

15 ml (1 c. à soupe) de thym frais haché

15 ml (1 c. à soupe) de romarin frais haché

2 feuilles de laurier

sel et poivre, au goût

1   Dans une casserole, chauffer l'huile et y faire tomber les oignons 10 minutes en remuant de temps à autre.

2   Ajouter l'ail, mélanger et cuire 2 minutes. Ajouter le reste des ingrédients, puis bien mélanger. Cuire à découvert 1 heure 30 minutes à feu doux ou jusqu'à l'évaporation du liquide. Retirer les feuilles de laurier.

3   Rectifier l'assaisonnement au besoin.

L'huile d'olive extra-vierge, une fois chauffée, contient toujours autant de bons gras monoinsaturés, mais sa teneur en antioxydants et en vitamine E risque de diminuer pour ressembler davantage à une huile d'olive raffinée. Il est également important de ne pas la faire « fumer ». L'huile d'olive tolère mal les températures de cuisson trop élevées et peut ainsi s'oxyder, développant des composés néfastes pour la santé.

Valeur nutritive par portion

Énergie :	333 kcal / 1 393 kJ
Protéines :	5,5 g
Glucides :	57,7 g
Fibres alimentaires :	6,5 g
Matières grasses :	5,0 g
Sodium :	559 mg
Fer :	1,8 mg
Calcium :	118 mg

Déposez un filet de saumon ou de truite grillé sur une ou deux cuillères de compote d'oignons et versez un peu de sauce au vin rouge et aux champignons (p. 90) tout autour.

Le Spa Eastman

DESSERTS

Soupe de rhubarbe et de fraises au basilic

Préparation
20 min

Macération
4 h

Cuisson
10 à 15 min

Rendement
8 ramequins
de 9 cm
(3 1/2 po)
de diamètre

600 g (environ 1 1/4 lb) de fraises, équeutées

une quinzaine de grosses feuilles de basilic frais, ciselées

le jus de 2 limes

20 tiges de rhubarbe d'une longueur de 30 cm (12 po)

quelques gouttes de jus de citron

80 ml (1/3 tasse) de sirop d'érable

1   Tailler 450 g (3 tasses) de fraises en petits cubes. Passer le reste des fraises au robot culinaire jusqu'à l'obtention d'une consistance de purée. Réfrigérer la purée.

2   Mélanger les fraises en petits cubes, le basilic et la moitié du jus de lime et laisser macérer au réfrigérateur au moins 4 heures.

3   Pendant ce temps, retirer les fils coriaces des plus grosses tiges de rhubarbe, puis tailler les tiges en morceaux de 2,5 cm (1 po). Dans une casserole, déposer dans de l'eau légèrement citronnée, puis porter à ébullition. Cuire de 10 à 15 minutes, jusqu'à l'obtention d'une consistance de purée. Prélever 500 ml (2 tasses) de rhubarbe cuite et la passer au robot culinaire jusqu'à l'obtention d'une consistance de purée. Prélever également 180 ml (3/4 tasse) de jus de cuisson.

4   Mélanger le jus de cuisson, le sirop d'érable, le reste du jus de lime, la purée de rhubarbe cuite et la purée de fraises. Réfrigérer.

5   Verser la soupe dans les ramequins et disposer les fraises macérées au centre.

6   Servir frais.

La rhubarbe est consommée comme un fruit, mais il s'agit en fait d'un légume. Seules ses tiges sont comestibles. Aliment connu de nos ancêtres, la rhubarbe se mange crue, enrobée de sucre ou transformée en compote. La rhubarbe est riche en potassium et contient de la vitamine C et du calcium.

Valeur nutritive par portion

Énergie :	87 kcal / 363 kJ
Protéines :	1,7 g
Glucides :	20,9 g
Fibres alimentaires :	4,0 g
Matières grasses :	0,6 g
Sodium :	7 mg
Fer :	0,7 mg
Calcium :	132 mg

Terrine de fruits des champs

La noix de Grenoble figure parmi les sources végétales d'oméga-3, un acide gras essentiel dont les bienfaits au niveau de la santé du cœur sont reconnus. Parmi ces bienfaits, on note une diminution des triglycérides, une amélioration de la fluidité du sang et une diminution du risque de formation de caillots sanguins. On arrive à combler nos besoins quotidiens en oméga-3 en consommant de 30 à 45 ml (2 à 3 c. à soupe) de noix de Grenoble. Dans cette recette, on fait tremper les noix, ceci aura pour effet de les attendrir en plus de faciliter leur digestion.

Valeur nutritive par portion
(donne 14 portions)

Énergie :	202 kcal / 844 kJ
Protéines :	3,0 g
Glucides :	38,5 g
Fibres alimentaires :	3,9 g
Matières grasses :	5,9 g
Sodium :	12 mg
Fer :	0,7 mg
Calcium :	35 mg

Trempage
12 h

Préparation
40 min

Cuisson
35 min

Réfrigération et congélation
4 h 30 min

Portions
12 à 14

Tuile croustillante

60 g (1/2 tasse) de farine d'épeautre

60 g (1/4 tasse) de sucre de canne fin

30 ml (2 c. à soupe) d'huile de tournesol

90 g de blancs d'œufs (3 unités)

500 g (3 1/3 tasses) de dattes, dénoyautées

750 ml (3 tasses) d'eau

1/2 ananas, pelé

75 g (1/2 tasse) de bleuets frais ou surgelés

75 g (1/2 tasse) de framboises fraîches ou surgelées

80 g (environ 3/4 tasse) de noix de Grenoble, mises à tremper la veille puis concassées

1   Préchauffer le four à 180 °C (350 °F).

2   Mélanger successivement tous les ingrédients de la tuile jusqu'à l'obtention d'une pâte lisse et coulante. Verser 15 ml (1 c. à soupe) de cet appareil sur une plaque tapissée de papier parchemin et étendre à l'aide d'un pinceau en lui donnant la forme désirée. Répéter les mêmes opérations avec le reste de l'appareil. Enfourner 15 minutes.

3   Dans une casserole, cuire les dattes dans l'eau jusqu'à l'évaporation complète de l'eau. Passer au robot culinaire jusqu'à l'obtention d'une purée lisse. Réfrigérer 30 minutes.

4   Pendant ce temps, émincer l'ananas très finement afin d'obtenir des demi-rondelles. Tapisser d'une pellicule de plastique les parois et le fond d'un moule rectangulaire de 8 x 23 cm (3 x 9 po). Faire adhérer les demi-rondelles d'ananas contre les parois et le fond de la terrine. Réserver suffisamment de demi-rondelles pour couvrir la terrine en fin de préparation. Tailler le reste en petits morceaux et déposer dans un bol.

5   Dans le bol, ajouter la purée de dattes refroidie, les bleuets, les framboises et les noix de Grenoble, puis mélanger. Mouler dans la terrine. Couvrir le tout avec le reste des demi-rondelles d'ananas. Placer au congélateur 4 heures.

6   À la sortie du congélateur, démouler, tailler en tranches et déposer dans des assiettes individuelles. Laisser à la température ambiante 10 minutes, décorer avec une tuile croustillante et servir.

Plus vous étendez la tuile finement, plus elle sera croustillante. Les tuiles peuvent être saupoudrées de graines de lin, de chanvre ou de sésame avant la cuisson. Vous obtiendrez 12 à 14 tuiles.

Vous pouvez également accompagner d'un coulis de fruits (p. 147).

Pâte sablée

Préparation
15 min

Réfrigération
1 h

Rendement
4 abaisses de
25 cm (10 po)

225 g (1 tasse) de beurre non salé, ramolli

115 g (1/2 tasse) de sucre de canne fin

2 œufs

1 pincée de sel

le zeste d'un citron, haché finement

480 g (3 1/2 tasses) de farine d'épeautre

2 ml (1/2 c. à thé) de poudre à pâte (sans alun)

environ 30 ml (2 c. à soupe) d'eau froide

1 Dans un bol, mélanger le beurre, le sucre, les œufs, le sel et le zeste de citron jusqu'à l'obtention d'une texture homogène.

2 Incorporer la farine tamisée avec la poudre à pâte.

3 Ajouter l'eau graduellement tout en mélangeant.

4 Abaisser la pâte légèrement afin qu'elle refroidisse plus rapidement et la déposer sur une plaque tapissée de papier parchemin. Réfrigérer environ 1 heure.

La poudre à pâte régulière contient du sulfate d'aluminium et de potassium, communément appelée « alun ». Recherchez la poudre à pâte sans alun. L'alun sert d'agent de blanchiment ; il n'est donc pas utile, ni à vous, ni à la recette. Vous pouvez donc remplacer la poudre à pâte régulière dans vos recettes par une quantité égale de poudre à pâte sans alun.

Valeur nutritive par portion (1/8 d'abaisse)

Énergie :	119 kcal / 499 kJ
Protéines :	2,5 g
Glucides :	14,6 g
Fibres alimentaires :	1,9 g
Matières grasses :	6,3 g
Sodium :	18 mg
Fer :	0,6 mg
Calcium :	14 mg

Si vous désirez réserver la pâte au réfrigérateur pour plus d'une heure, il est préférable de l'envelopper d'une pellicule de plastique afin d'éviter la formation d'une croûte à la surface.

Se conserve quelques mois au congélateur.

Tarte amandine aux bleuets

Préparation
40 min

Réfrigération
40 min

Cuisson
35 à 40 min

Portions
8

Crème pâtissière à la boisson de soya

250 ml (1 tasse) de boisson de soya

2 œufs

60 g (1/4 tasse) de sucre de canne fin

45 ml (3 c. à soupe) de fécule de marante

Crème d'amande

110 g (1/2 tasse) de beurre non salé, ramolli

60 g (1/4 tasse) de sucre de canne fin

125 g (1 1/4 tasse) de poudre d'amande

2 œufs

2 ml (1/2 c. à thé) d'extrait naturel de vanille

15 ml (1 c. à soupe) de fécule de marante

la crème pâtissière à la boisson de soya, refroidie

1 abaisse de pâte sablée (p. 137)

45 ml (3 c. à soupe) de confiture de fruits rouges

30 ml (2 c. à soupe) d'eau

225 g (1 1/2 tasse) de bleuets frais ou surgelés

1 Dans une casserole, porter la boisson de soya à ébullition. Dans un bol, mélanger les œufs, le sucre et la fécule. Incorporer un peu de boisson de soya chaude (pour éviter la coagulation précoce des jaunes d'œufs), verser dans la casserole en remuant et cuire 2 minutes à gros bouillons en continuant de remuer. Tapisser une plaque d'une pellicule de plastique, verser sur la plaque, couvrir d'une pellicule de plastique et réfrigérer 20 minutes ou jusqu'à refroidissement.

2 Préchauffer le four à 180 °C (350 °F).

3 Pour la crème d'amande, mélanger le beurre, le sucre et la poudre d'amande jusqu'à l'obtention d'une texture onctueuse. Incorporer les œufs, un à un, puis laisser monter pendant 4 à 5 minutes. Ajouter à la toute fin la vanille, la fécule et la crème pâtissière refroidie. Lisser en prenant soin de ne pas trop mélanger pour éviter que l'appareil retombe.

4 Dans un moule à flan (assiette à tarte à fond amovible)* de 25 cm (10 po) de diamètre préalablement garni de pâte, verser la crème d'amande et enfourner de 30 à 35 minutes. Réfrigérer 20 minutes pour un meilleur démoulage.

5 Dans une casserole, réunir la confiture de fruits rouges et l'eau, puis donner un petit bouillon au coulis. Verser le coulis chaud sur les bleuets, remuer afin de bien enrober les petits fruits, puis les répartir sur toute la surface de la tarte.

Les noix sont riches en matières grasses insaturées, de bons gras pour la santé. Toutefois, ces gras sont aussi très fragiles et se détériorent rapidement à la température ambiante. Cette détérioration nommée rancissement confère aux noix un goût et une odeur désagréables. Le rancissement affecte aussi la qualité nutritive de la noix puisque celle-ci devient oxydée, un état néfaste pour la santé. Il est donc recommandé d'acheter de préférence des noix en écaille, leur protection naturelle contre le rancissement. Pour les noix écaillées, achetez-les en quantité limitée et conservez-les dans un contenant hermétique au réfrigérateur.

Valeur nutritive par portion

Énergie :	465 kcal / 1 944 kJ
Protéines :	9,0 g
Glucides :	48,5 g
Fibres alimentaires :	4,7 g
Matières grasses :	27,9 g
Sodium :	66 mg
Fer :	1,9 mg
Calcium :	75 mg

* ou dans un moule rectangulaire à fond amovible de 10 x 35 cm (4 x 14 po)

Si vous n'avez pas de malaxeur muni d'une palette, la mixette fonctionne très bien.

La crème pâtissière peut être préparée à partir de boisson de soya originale, à la vanille ou aux amandes.

Le sucre contenu dans la crème d'amande risque de trop colorer la tarte avant la fin de sa cuisson. Il est préférable de couvrir de papier d'aluminium en cours de cuisson.

Croustade de pommes et de canneberges

Préparation
30 min

Cuisson
50 à 60 min

Portions
8

Garniture

3 à 4 pommes (de type Golden), pelées, évidées et taillées en dés (environ 2 1/2 à 3 tasses)

45 g (1/3 tasse) de farine d'épeautre

150 g (1 tasse) de canneberges fraîches ou surgelées

45 ml (3 c. à soupe) de sucre de canne fin

le zeste haché très finement et le jus d'un citron

Croustillant

45 ml (3 c. à soupe) de flocons d'avoine à cuisson rapide

45 ml (3 c. à soupe) de farine d'épeautre

45 ml (3 c. à soupe) de graines de lin moulues

45 ml (3 c. à soupe) de sucre de canne fin

1 ml (1/4 c. à thé) de cannelle moulue

30 ml (2 c. à soupe) d'huile de canola

15 ml (1 c. à soupe) de jus de citron

1 abaisse de pâte sablée (p. 137)

1 Préchauffer le four à 180 °C (350 °F).

2 Dans un bol, mélanger les ingrédients de la garniture en prenant soin de bien enrober les fruits de farine et de sucre.

3 Dans un autre bol, mélanger et frotter entre ses mains les ingrédients du croustillant afin d'obtenir une texture sablée.

4 Dans un moule à flan (assiette à tarte à fond amovible) de 25 cm (10 po) de diamètre préalablement garni de pâte, bien étaler le mélange de fruits et parsemer de croustillant toute la surface. Enfourner de 50 à 60 minutes.

De nombreuses études démontrent que la canneberge, aussi nommée atoca, permet de prévenir la récurrence des infections urinaires. Pour retirer tous les bienfaits de la canneberge, il est recommandé de boire 250 ml (1 tasse) de jus de canneberges par jour. Assurez-vous que ce soit du vrai jus et non un cocktail, un mélange d'eau, de sucre et d'arômes artificiels de canneberge.

Idéalement, procurez-vous de l'huile de canola biologique pressée à froid. Cette huile a conservé toutes les qualités nutritives du grain de colza et de plus, n'est pas extraite de grains transgéniques. L'huile de canola contient de bons gras monoinsaturés et des oméga-3. Préférez les huiles vendues dans des bouteilles opaques afin de les protéger contre l'oxydation et le rancissement.

Valeur nutritive par portion

Énergie :	167 kcal / 699 kJ
Protéines :	2,6 g
Glucides :	29,6 g
Fibres alimentaires :	4,2 g
Matières grasses :	5,4 g
Sodium :	2 mg
Fer :	0,8 mg
Calcium :	20 mg

Servez tiède avec une boule de yogourt glacé à la vanille, un vrai régal!

Profiteroles à la crème de mangue, sauce au chocolat

Nous savons depuis quelques années que le chocolat contient des antioxydants semblables à ceux retrouvés dans le vin rouge. Cependant, le chocolat ne devient pas un aliment santé pour autant. Il faudrait en consommer régulièrement et en grande quantité pour retirer tous les bienfaits des antioxydants. Or, le chocolat est riche en gras, en calories et parfois riche en sucre. Il vaut mieux le consommer avec modération. Choisissez de préférence un chocolat noir. Il sera moins sucré et sa teneur élevée en cacao le rendra plus riche en antioxydants.

Valeur nutritive par portion d'une profiterole

Énergie :	120 kcal / 503 kJ
Protéines :	3,1 g
Glucides :	11,4 g
Fibres alimentaires :	2,0 g
Matières grasses :	8,1 g
Sodium :	19 mg
Fer :	1,4 mg
Calcium :	24 mg

Préparation
50 min

Cuisson
20 à 25 min

Réfrigération
30 min

Rendement
environ 30 profiteroles

Pâte à choux

250 ml (1 tasse) d'eau

90 ml (6 c. à soupe) de beurre non salé

5 ml (1 c. à thé) de sucre de canne fin

240 g (1 3/4 tasse) de farine d'épeautre

4 à 5 œufs*

Crème de mangue

60 g (1/4 tasse) de sucre de canne fin

le jus d'un quartier de lime

250 ml (1 tasse) de purée de mangues ou d'autres fruits

125 ml (1/2 tasse) de yogourt nature

160 ml (2/3 tasse) de crème à 35 %, fouettée ferme

Sauce au chocolat

125 ml (1/2 tasse) de boisson de soya

160 g (1 tasse) de chocolat noir à 70 % concassé

5 ml (1 c. à thé) de beurre non salé

1 Préchauffer le four à 180 °C (350 °F).

2 Dans une casserole, porter à ébullition l'eau, le beurre et le sucre. Ajouter la farine et mélanger jusqu'à l'obtention d'une pâte ferme. Lorsqu'elle se détache des parois et du fond de la casserole, continuer de remuer la pâte de 2 à 3 minutes afin de la dessécher un peu. Retirer du feu, transférer dans un bol et incorporer les œufs*, un à un. Mélanger jusqu'à l'obtention d'une pâte lisse et souple. À l'aide d'une poche à pâtisserie munie d'une douille unie, dresser des petits choux de 5 cm (2 po) de diamètre sur une plaque tapissée de papier parchemin et enfourner de 20 à 25 minutes (ne pas entrouvrir la porte du four tant que le produit n'a pas pris sa coloration, sinon la pâte à choux retombe).

3 Dans une casserole, dissoudre le sucre en chauffant avec le jus de lime et la moitié de la purée. Incorporer au reste de la purée. Ajouter le yogourt et finir avec la crème fouettée en prenant soin de ne pas trop mélanger. Réfrigérer.

4 À l'aide d'un couteau à pain, couper aux deux tiers les choux. Garnir de crème de mangue à l'aide d'une poche à pâtisserie munie d'une petite douille unie. Refermer avec le tiers restant. Réfrigérer 30 minutes.

5 Chauffer la boisson de soya, le chocolat et le beurre au bain-marie en prenant soin de ne pas porter à ébullition. Retirer du feu et laisser légèrement tiédir.

6 Une fois la sauce au chocolat légèrement tiédie, napper les profiteroles.

La texture de la pâte ne doit pas être trop ferme afin de faciliter le dressage.

Doublez vos plaques pour éviter que les choux brûlent.

Les profiteroles peuvent être congelées dans des sacs pour congélateur. Au moment de les servir, laissez-les tout simplement à la température ambiante environ 45 minutes, puis nappez-les de la sauce au chocolat légèrement tiédie.

Les choux peuvent également être utilisés dans la préparation de canapés.

Gâteau au citron et au pavot

Préparation
40 min

Cuisson
40 à 45 min

Réfrigération
30 min

Portions
8

Gâteau

150 g (2/3 tasse) de beurre non salé

150 g (2/3 tasse) de sucre de canne fin

3 œufs

160 g (1 1/4 tasse) de farine d'épeautre

2 ml (1/2 c. à thé) de poudre à pâte (sans alun)

80 g (1 tasse) de graines de pavot (30 g / 1/3 tasse pour le gâteau ; 50 g / 2/3 tasse pour la décoration)

le zeste de 2 citrons, haché finement

80 ml (1/3 tasse) de jus de citron

90 g de blancs d'œufs (3 unités)

Crème légère au citron

60 ml (1/4 tasse) de jus de citron

60 ml (1/4 tasse) d'eau

40 g de jaunes d'œufs (2 unités)

60 g (1/4 tasse) de sucre de canne fin

45 g (1/3 tasse) de farine d'épeautre

125 ml (1/2 tasse) de crème à 35 %

Sortez les ingrédients la veille afin qu'ils soient tempérés.

Il est préférable de glisser une plaque sous le moule du gâteau pour éviter qu'il brûle. Faites-le cuire au centre du four.

1 Préchauffer le four à 180 °C (350 °F).

2 Au malaxeur muni de la palette ou à la mixette, mélanger dans l'ordre le beurre, la moitié du sucre, les œufs, la farine tamisée avec la poudre à pâte et 30 g (1/3 tasse) de graines de pavot jusqu'à l'obtention d'une texture homogène. Incorporer le zeste et le jus de citron.

3 Monter les blancs d'œufs avec le reste du sucre et incorporer très délicatement au premier mélange. Verser dans un moule à charnière de 20 cm (8 po) de diamètre préalablement bien graissé et fariné. Enfourner aussitôt de 35 à 40 minutes ou jusqu'à ce qu'un cure-dent inséré au centre du gâteau en ressorte propre (si le gâteau colore trop en cours de cuisson, couvrir de papier d'aluminium). À la sortie du four, laisser tiédir 5 minutes, puis démouler. Déposer sur une plaque et réfrigérer 30 minutes.

4 Pour la crème au citron, dans une casserole, porter le jus de citron et l'eau à ébullition. Pendant ce temps, fouetter vigoureusement les jaunes d'œufs avec le sucre et la farine. Incorporer un peu du mélange chaud de jus de citron et d'eau (pour éviter la coagulation précoce des jaunes d'œufs), verser dans la casserole en remuant et cuire 2 minutes à gros bouillons en continuant de remuer. Tapisser une plaque d'une pellicule de plastique, verser sur la plaque, couvrir d'une pellicule de plastique et réfrigérer 20 minutes ou jusqu'à refroidissement.

5 Pendant que la crème au citron refroidit, monter la crème à 35 % jusqu'à l'obtention de pics fermes.

6 Une fois le gâteau et la crème au citron refroidis, fouetter énergiquement la crème au citron pour la rendre lisse et y incorporer ensuite progressivement la crème à 35 % fouettée. Mélanger délicatement jusqu'à l'obtention d'une texture homogène. Recouvrir intégralement le gâteau et parsemer autour du reste de graines de pavot.

7 Décorer avec le reste de la crème à l'aide d'une poche à pâtisserie munie d'une douille unie ou cannelée.

Afin d'obtenir un maximum de saveur, il est recommandé d'acheter les graines de pavot dans un magasin spécialisé. Elles seront plus fraîches, donc plus savoureuses. Une graine de pavot de qualité est très aromatique. Malheureusement, avec le temps, elle perd l'essentiel de son parfum.

Valeur nutritive par portion

Énergie :	476 kcal / 1 990 kJ
Protéines :	9,9 g
Glucides :	49,7 g
Fibres alimentaires :	4,3 g
Matières grasses :	28,4 g
Sodium :	78 mg
Fer :	2,4 mg
Calcium :	199 mg

Gâteau au chocolat et à l'orange

Préparation
45 min

Cuisson
25 à 30 min

Réfrigération
30 min

Portions
8 à 9

Gâteau

240 g de blancs d'œufs tempérés (8 unités)

115 g (1/2 tasse) de sucre de canne fin

80 g (environ 3 oz) de poudre de cacao non sucrée

5 ml (1 c. à thé) de poudre à pâte (sans alun)

Garniture

250 ml (1 tasse) de marmelade d'oranges aux épices (p. 175)

Ganache

125 ml (1/2 tasse) de boisson de soya

210 g (1 1/3 tasse) de chocolat noir à 70 % concassé en petits morceaux

le zeste d'une orange

1 Préchauffer le four à 180 °C (350 °F).

2 À l'aide d'une mixette, fouetter les blancs d'œufs en ajoutant progressivement le sucre jusqu'à l'obtention d'une meringue bien montée. Tamiser ensemble la poudre de cacao et la poudre à pâte. Incorporer très délicatement à la meringue à l'aide d'une spatule. Verser dans un moule à charnière de 20 cm (8 po) de diamètre préalablement bien graissé et fariné. Enfourner aussitôt de 25 à 30 minutes ou jusqu'à ce qu'un cure-dent inséré au centre du gâteau en ressorte propre. À la sortie du four, laisser tiédir 5 minutes, puis démouler. Déposer sur une plaque et réfrigérer 30 minutes.

3 Couper le gâteau en deux à l'horizontale. Garnir une moitié du gâteau avec la marmelade et recouvrir de l'autre moitié du gâteau.

4 Dans une casserole, porter la boisson de soya à ébullition, puis la verser sur le chocolat. Mélanger jusqu'à l'obtention d'une texture bien lisse et procéder ensuite au glaçage du gâteau. Décorer avec le zeste d'orange.

5 Servir frais.

Afin de diminuer les coûts, l'industrie alimentaire remplace parfois le beurre de cacao, le gras naturel du chocolat, par du shortening végétal, un gras hydrogéné reconnu pour ses effets néfastes sur la santé. Lorsque vous achetez du chocolat, recherchez le beurre de cacao dans la liste des ingrédients et méfiez-vous de la présence d'autres types de gras dans cette liste.

Valeur nutritive par portion (donne 9 portions)

Énergie :	283 kcal / 1 184 kJ
Protéines :	6,7 g
Glucides :	44,5 g
Fibres alimentaires :	4,8 g
Matières grasses :	12,8 g
Sodium :	140 mg
Fer :	4,3 mg
Calcium :	87 mg

Vous pouvez également l'accompagner d'un coulis de fruits (p. 147).

Nougat glacé

L'agar-agar est une gélatine naturelle provenant d'algues marines. On la trouve sous forme de plaques, de poudre ou de paillettes. Comme son goût est neutre, elle peut facilement remplacer les gélatines commerciales fabriquées à partir de tissus de porc.

Valeur nutritive par portion

Énergie :	456 kcal / 1 908 kJ
Protéines :	7,0 g
Glucides :	53,9 g
Fibres alimentaires :	3,6 g
Matières grasses :	26,0 g
Sodium :	48 mg
Fer :	1,5 mg
Calcium :	63 mg

Préparation
35 min

Cuisson
40 min

Congélation
12 h

Portions
8

1 disque de pâte sablée de 20 cm (8 po) de diamètre et d'une épaisseur de 5 mm (1/4 po) (p. 137)

30 ml (2 c. à soupe) de pistaches

45 ml (3 c. à soupe) d'amandes effilées

30 ml (2 c. à soupe) de noix de Grenoble

30 ml (2 c. à soupe) de noisettes

30 ml (2 c. à soupe) d'écorces d'orange confites (p. 154), hachées finement

Garniture

160 ml (2/3 tasse) de miel

60 g de blancs d'œufs (2 unités)

20 ml (4 c. à thé) d'agar-agar (en poudre)

250 ml (1 tasse) d'eau

250 ml (1 tasse) de crème à 35 %

80 ml (1/3 tasse) de gelée de pommes (facultatif)

1 Préchauffer le four à 180 °C (350 °F).

2 Déposer le disque de pâte sablée sur une plaque tapissée de papier parchemin, piquer avec une fourchette et enfourner 20 minutes. Laisser refroidir.

3 Étaler les noix sur une plaque et enfourner environ 6 minutes afin de les faire griller. Une fois refroidies, concasser grossièrement les pistaches, les noix de Grenoble et les noisettes. Ajouter aux écorces d'orange confites. Réserver une grosse poignée pour le fond du moule.

4 Cuire le miel à 120 °C (250 °F) au thermomètre à sucre. Pendant ce temps, à l'aide d'une mixette, faire mousser les blancs d'œufs avant d'incorporer progressivement le miel cuit. Dans une casserole, dissoudre l'agar-agar dans l'eau, puis porter à ébullition de 1 à 2 minutes. Ajouter l'agar-agar au mélange de miel et de blancs d'œufs (le mélange doit être chaud lors de l'incorporation). Remuer jusqu'à refroidissement afin que l'appareil soit mousseux et onctueux. Incorporer le mélange de noix. Fouetter la crème à 35 % jusqu'à l'obtention de pics mous et l'incorporer délicatement afin que l'appareil ne retombe pas.

5 Dans un moule à charnière de 20 cm (8 po) de diamètre préalablement tapissé d'un disque de papier parchemin, répartir les noix réservées au fond du moule et verser la garniture. Finir en recouvrant avec la pâte sablée. Placer au congélateur 12 heures.

6 Une fois le produit bien congelé, démouler et remettre à l'endroit. Badigeonner d'un peu de gelée de pommes légèrement chauffée dans une casserole pour obtenir un produit brillant. Servir aussitôt.

Coulis de fruits

Préparation
10 min

Rendement
350 ml
(environ
1 1/3 tasse)

150 g (1 tasse) de fraises fraîches ou surgelées

150 g (1 tasse) de bleuets frais ou surgelés

45 ml (3 c. à soupe) de sucre de canne fin

5 ml (1 c. à thé) de fécule de marante

quelques gouttes de jus de citron

1   Passer tous les ingrédients au mélangeur jusqu'à l'obtention d'une purée lisse.

Pour cette recette, vous pouvez très bien utiliser des petits fruits surgelés. Ils sont tout aussi nutritifs que les fruits frais et beaucoup plus économiques, surtout hors saison. Saviez-vous qu'il existe une différence entre la surgélation et la congélation ? En effet, la congélation est un processus domestique qui consiste à geler le produit à des températures de −18 à −20 °C, processus qui s'échelonne sur plusieurs heures, tandis que la surgélation arrive à geler le produit en quelques minutes grâce à des températures atteignant −40° à −50° C. La texture, le goût et la valeur nutritive du produit sont davantage conservés par la surgélation.

Valeur nutritive par portion de 60 ml (1/4 tasse)

Énergie :	48 kcal / 203 kJ
Protéines :	0,3 g
Glucides :	12,3 g
Fibres alimentaires :	1,2 g
Matières grasses :	0,2 g
Sodium :	2 mg
Fer :	0,1 mg
Calcium :	5 mg

Se conserve environ 2 jours au réfrigérateur ou peut être congelé pour un usage ultérieur.

Le Spa Eastman

COLLATIONS

Madeleines au miel et à l'orange

La farine tout usage est dépourvue du son et du germe de blé, ce qui la rend moins nutritive que la farine entière. Cependant, elle est plus fine et légère, ce qui permet d'atteindre des propriétés culinaires que la farine entière ne permet pas. Choisissez-la non blanchie, elle sera légèrement jaunâtre puisqu'elle n'aura pas reçu sa dose de peroxyde de benzoyle, l'agent de blanchiment utilisé pour obtenir la farine blanche. Cet additif n'ayant aucune utilité dans la recette, nous pouvons très bien nous en passer !

Valeur nutritive par portion d'une madeleine

Énergie :	120 kcal / 502 kJ
Protéines :	2,1 g
Glucides :	15,6 g
Fibres alimentaires :	0,8 g
Matières grasses :	5,8 g
Sodium :	45 mg
Fer :	0,6 mg
Calcium :	28 mg

Préparation
20 min

Repos
30 min

Cuisson
20 à 25 min

Rendement
18 madeleines
ou 8 à 10
muffins

110 g (1/2 tasse) de beurre non salé

115 g (1/2 tasse) de sucre de canne fin

3 œufs

30 ml (2 c. à soupe) de miel

le zeste haché très finement et le jus d'une orange

100 g (3/4 tasse) de farine d'épeautre

60 g (1/3 tasse) de farine tout usage non blanchie

5 ml (1 c. à thé) de poudre à pâte (sans alun)

1 pincée de sel

1 Dans un bol, mélanger le beurre et le sucre jusqu'à l'obtention d'une texture crémeuse.

2 Ajouter les œufs, le miel et le jus d'orange et mélanger jusqu'à l'obtention d'une texture bien lisse.

3 Dans un autre bol, mélanger les farines tamisées avec la poudre à pâte, le sel et le zeste d'orange. Incorporer au premier mélange. Laisser reposer 30 minutes à la température ambiante.

4 Préchauffer le four à 180 °C (350 °F).

5 Graisser et fariner légèrement une plaque à madeleines ou des moules à muffins et remplir aux deux tiers. Enfourner de 20 à 25 minutes. Dès la sortie du four, démouler et laisser refroidir sur une grille.

Sortez les ingrédients la veille afin qu'ils soient tempérés.

Pains d'épices

Préparation
25 min

Cuisson
25 à 30 min

Rendement
6 petits pains

60 ml (1/4 tasse) de boisson de soya

125 ml (1/2 tasse) de miel

2 œufs

1 blanc d'œuf

85 g (3/4 tasse) de farine de seigle

80 g (1/2 tasse) de farine tout usage non blanchie

15 ml (1 c. à soupe) de poudre à pâte (sans alun)

1 ml (1/4 c. à thé) de cannelle moulue*

1 ml (1/4 c. à thé) de clou de girofle moulu*

1 ml (1/4 c. à thé) d'anis moulu*

1 ml (1/4 c. à thé) de muscade fraîchement râpée*

45 ml (3 c. à soupe) de graines de lin moulues

15 ml (1 c. à soupe) d'écorces d'orange confites (p. 154), hachées finement

quelques gouttes d'extrait naturel de vanille

1   Préchauffer le four à 180 °C (350 °F).

2   Dans une petite casserole, tiédir la boisson de soya et le miel et y incorporer les œufs et le blanc d'œuf.

3   Dans un bol, mélanger les farines tamisées avec la poudre à pâte, les épices, les graines de lin et les écorces d'orange confites. Ajouter le premier mélange et la vanille. Mélanger sans trop incorporer d'air jusqu'à l'obtention d'une pâte lisse et onctueuse.

4   Répartir dans des moules à muffins légèrement graissés et enfourner de 25 à 30 minutes. Dès la sortie du four, démouler et laisser refroidir sur une grille.

La farine de seigle ajoute une texture et un goût intéressants. Choisissez de préférence la farine de seigle foncée, elle sera plus riche en protéines et en fibres que la farine de seigle pâle. Elle sera également plus riche en plusieurs vitamines et minéraux dont le fer, le magnésium, l'acide folique et le zinc.

Valeur nutritive par portion d'un petit pain

Énergie :	254 kcal / 1 063 kJ
Protéines :	6,5 g
Glucides :	50,5 g
Fibres alimentaires :	4,3 g
Matières grasses :	4,0 g
Sodium :	219 mg
Fer :	2,0 mg
Calcium :	200 mg

* ou remplacez ces épices par 5 ml (1 c. à thé) de quatre-épices moulu

Pour les plus gourmands, cette recette peut se transformer en gâteau au chocolat et épices. Utilisez simplement un moule à charnière de 15 cm (6 po) de diamètre et cuire de la même manière. Une fois refroidi, glacer d'une ganache au chocolat (p. 145).

Biscuits aux noix de Grenoble

La vanille pure contient plus de 400 composés aromatiques, de là l'intérêt d'utiliser de l'extrait de vanille pure plutôt que de l'essence de vanille artificielle. Vous apprécierez le goût plus nuancé qu'elle apportera à vos desserts. Cependant, certains extraits de vanille pure du commerce, même parmi les meilleures versions, contiennent parfois du sucre ou du sirop de maïs ! Encore mieux, procurez-vous de la vanille en gousse. Vous pourrez alors gratter les graines se logeant à l'intérieur de la gousse pour parfumer vos préparations. Faites ensuite infuser le reste de la gousse dans 180 à 250 ml (3/4 à 1 tasse) d'un alcool, tel le rhum ou la vodka, pendant 2 à 3 semaines. Vous obtiendrez de l'extrait de vanille pure d'une grande qualité à une fraction du prix et qui se conserve sur une longue période. La gousse de vanille peut également être déposée dans du sucre; vous obtiendrez ainsi du sucre vanillé.

Valeur nutritive par portion d'un biscuit

Énergie :	133 kcal / 556 kJ
Protéines :	2,9 g
Glucides :	11,2 g
Fibres alimentaires :	1,6 g
Matières grasses :	9,2 g
Sodium :	7 mg
Fer :	0,7 mg
Calcium :	13 mg

Préparation
30 min

Réfrigération
45 min

Cuisson
13 à 15 min

Rendement
20 biscuits

110 g (1/2 tasse) de beurre non salé, ramolli

60 g (1/4 tasse) de sucre de canne fin

2 œufs

5 ml (1 c. à thé) d'extrait naturel de vanille

50 g (1/2 tasse) de poudre de noix de Grenoble*

75 g (3/4 tasse) de noix de Grenoble, grillées et concassées

200 g (1 1/2 tasse) de farine d'épeautre

1   Dans un grand bol, bien mélanger le beurre et le sucre. Incorporer les œufs et la vanille, puis bien remuer jusqu'à l'obtention d'une texture lisse. Incorporer la poudre de noix de Grenoble et les noix concassées. Ajouter la farine et mélanger jusqu'à l'obtention d'une pâte homogène et collante.

2   Abaisser la pâte légèrement, l'envelopper d'une pellicule de plastique et la réfrigérer 45 minutes.

3   Préchauffer le four à 180 °C (350 °F).

4   Une fois la pâte bien refroidie, façonner un rouleau de 35 cm (14 po) de long et de 4 cm (1 1/2 po) de diamètre. Couper des tranches de 2 cm (3/4 po) d'épaisseur, les déposer sur une plaque tapissée de papier parchemin et les écraser légèrement. Enfourner aussitôt de 13 à 15 minutes.

On peut remplacer la poudre de noix de Grenoble par de la poudre de noisette, de pistache, d'amande ou d'arachide. Faites griller au four avant de moudre.

Barres tendres énergétiques

Préparation
30 min

Cuisson
15 à 20 min

Rendement
environ
14 barres
de 60 g (2 oz)

150 g (2 tasses) de flocons d'avoine à cuisson rapide

80 g (environ 3/4 tasse) de noix de Grenoble, grillées et hachées grossièrement

80 g (2/3 tasse) de graines de tournesol nature, grillées

50 g (1/4 tasse) de graines de chanvre, légèrement grillées

45 ml (3 c. à soupe) de graines de lin moulues

135 g (1 tasse) de farine d'épeautre

1 ml (1/4 c. à thé) de poudre à pâte (sans alun)

160 g (1 tasse) de raisins secs

1 pincée de sel

1 pincée de cannelle moulue

1 pincée de muscade fraîchement râpée

45 ml (3 c. à soupe) d'huile d'olive

160 ml (2/3 tasse) de miel

45 ml (3 c. à soupe) d'eau

5 ml (1 c. à thé) d'extrait naturel de vanille

1 Préchauffer le four à 180 °C (350 °F).

2 Dans un bol, mélanger les ingrédients secs.

3 Dans un autre bol, mélanger les ingrédients liquides et ajouter aux ingrédients secs. Bien mélanger.

4 Presser sur une plaque de 30 x 43 cm (12 x 17 po) préalablement graissée à une épaisseur de 2 cm (3/4 po) en donnant une forme rectangulaire (la préparation couvrira environ la moitié de la plaque sur la largeur).

5 Enfourner de 15 à 20 minutes, jusqu'à ce que le dessus commence à dorer. Laisser refroidir et couper en 14 barres.

Le principal intérêt des graines de chanvre tient à leur teneur équilibrée en acides gras essentiels oméga-3 et oméga-6. En effet, la grande majorité des aliments fournissent trop d'acides gras oméga-6 (acide linoléique) et trop peu d'acides gras oméga-3 (acide alpha-linolénique). La graine de chanvre est une exception, au même titre que la graine de lin.

Valeur nutritive par portion d'une barre de 60 g (2 oz)

Énergie :	284 kcal / 1 190 kJ
Protéines :	7,2 g
Glucides :	39,2 g
Fibres alimentaires :	4,6 g
Matières grasses :	12,9 g
Sodium :	26 mg
Fer :	2,0 mg
Calcium :	41 mg

Tout en respectant les quantités, vous pouvez varier les noix et les épices et ainsi apporter votre touche personnelle.

Écorces d'orange confites

Pour cette recette, utilisez de préférence des oranges biologiques. Vous réduirez ainsi votre exposition aux résidus de pesticides ou d'autres produits chimiques. Les engrais utilisés en agriculture biologique doivent être certifiés bio et se résument souvent à du compost, un mélange de matières organiques en décomposition. Si vous n'avez pas accès à des fruits ou à des légumes biologiques, assurez-vous de les peler. Si vous consommez la pelure, comme c'est le cas dans cette recette, lavez-la longuement à l'aide d'une brosse à légumes.

Valeur nutritive par portion de 15 ml (1 c. à soupe)

Énergie :	48 kcal / 199 kJ
Protéines :	0,0 g
Glucides :	12,3 g
Fibres alimentaires :	0,12 g
Matières grasses :	0,0 g
Sodium :	0 mg
Fer :	0,0 mg
Calcium :	2 mg

Préparation
20 min

Cuisson
25 à 30 min

Attente
3 à 4 h
(refroidissement)
12 h
(séchage)

Rendement
environ 625 ml
(2 1/2 tasses)

4 oranges*, lavées et brossées sous l'eau courante

Sirop

500 ml (2 tasses) d'eau

500 g (environ 1 lb) de sucre de canne fin

1   Peler les oranges et tailler leur pelure en fines lanières. Dans une casserole, mettre de l'eau froide et les lanières et porter à ébullition de 1 à 2 minutes. Remettre les lanières à bouillir 2 à 3 fois en prenant soin de changer l'eau à chaque fois afin d'atténuer l'amertume des écorces.

2   Dans une casserole, porter l'eau et le sucre à ébullition. Ajouter les écorces et faire frémir de 4 à 5 minutes, puis laisser bien refroidir**. Remettre les écorces à frémir 4 fois en laissant bien refroidir à chaque fois.

3   Égoutter ensuite les écorces à l'aide d'une passoire et les déposer sur une grille. Laisser sécher à la température ambiante jusqu'au lendemain avant de les ranger dans un contenant hermétique et dans un endroit frais.

ou 6 citrons ou 3 gros pamplemousses ou 6 à 8 limes

Lorsque vous pelez les oranges, prenez soin de retirer l'écorce seulement, en évitant de prélever la chair blanchâtre sous l'écorce, car elle est très amère.

Attention aux deux premières ébullitions de l'étape 2, car elles ont tendance à mousser et à déborder de la casserole. Utiliser une casserole de taille moyenne.

** Pour que les écorces d'orange soient entièrement confites, il faut les laisser refroidir complètement entre chaque ébullition de façon à ce que le sirop soit de plus en plus dense et qu'il pénètre l'écorce. Versez simplement le sirop sur une plaque et réfrigérez-le. Le temps d'attente pour chacun des refroidissements est de 40 à 50 minutes.

Pour éviter que les écorces collent entre elles, après le séchage, enrobez-les de sucre de canne fin en les frottant les unes contre les autres; les écorces absorberont une petite quantité de sucre. Vous pourrez ensuite les ranger.

Sablés au cacao et aux noisettes

Préparation
20 min

Réfrigération
1 h

Cuisson
20 à 25 min

Rendement
18 sablés

150 g (2/3 tasse) de beurre non salé, ramolli

150 g (2/3 tasse) de sucre de canne fin

1 œuf

2 blancs d'œufs

5 ml (1 c. à thé) d'extrait naturel de vanille

125 g (1 tasse) de noisettes, grillées et hachées grossièrement

30 ml (2 c. à soupe) de graines de lin moulues

160 g (1 1/4 tasse) de farine d'épeautre

160 g (1 tasse) de farine tout usage non blanchie

1 pincée de sel

80 ml (1/3 tasse) de poudre de cacao non sucrée

1 Dans un grand bol, mélanger le beurre, le sucre, l'œuf, les blancs d'œufs, la vanille, les noisettes et les graines de lin.

2 Dans un autre bol, mélanger les farines, le sel et la poudre de cacao. Incorporer au premier mélange.

3 Abaisser la pâte à une épaisseur de 5 cm (2 po) en lui donnant une forme rectangulaire, la déposer sur une plaque tapissée de papier parchemin et la couvrir d'une pellicule de plastique. Réfrigérer 1 heure.

4 Préchauffer le four à 180 °C (350 °F).

5 Une fois la pâte bien refroidie, tailler des bandes de 8 cm (3 po) de largeur et couper celles-ci en morceaux de 2,5 cm (1 po) afin d'obtenir des biscuits rectangulaires. Déposer sur une plaque tapissée de papier parchemin et enfourner aussitôt de 20 à 25 minutes.

Cacao ou caroube : lequel est le meilleur pour la santé ? La poudre de caroube contient moins de gras et de sucre que la poudre de cacao. Cependant, on ajoute souvent du gras et du sucre aux pastilles et brisures de caroube, ce qui leur donne une valeur nutritive semblable à celle du chocolat, effet excitant en moins et une petite dose de calcium en plus. De plus, la caroube donne parfois une texture plus sèche et moins homogène, elle peut donc ne pas convenir à toutes vos recettes. Chose certaine, cacao et caroube devraient tous deux être consommés avec modération.

Valeur nutritive par portion d'un sablé

Énergie :	214 kcal / 897 kJ
Protéines :	4,5 g
Glucides :	24,1 g
Fibres alimentaires :	2,9 g
Matières grasses :	12,2 g
Sodium :	25 mg
Fer :	1,4 mg
Calcium :	21 mg

Sablés aux pistaches

Préparation
20 min

Réfrigération
1 h

Cuisson
15 à 20 min

Rendement
32 sablés

180 g (1 1/3 tasse) de farine d'épeautre

60 g (1/3 tasse) de farine tout usage non blanchie

150 g (2/3 tasse) de beurre non salé, ramolli

115 g (1/2 tasse) de sucre de canne fin

100 g (1 tasse) de poudre de pistache*

2 œufs

32 pistaches nature

1 Mélanger les farines et le beurre jusqu'à l'obtention d'une texture sablée. Incorporer le sucre et la poudre de pistache. Ajouter les œufs et mélanger jusqu'à l'obtention d'une pâte homogène.

2 Abaisser la pâte légèrement, l'envelopper d'une pellicule de plastique et la réfrigérer** 1 heure.

3 Préchauffer le four à 180 °C (350 °F).

4 Une fois la pâte bien refroidie, façonner des rouleaux de 3 cm (1 1/4 po) de diamètre et couper en tranches de 2 cm (3/4 po) d'épaisseur. Déposer sur une plaque tapissée de papier parchemin et fixer une pistache sur le dessus en appuyant légèrement. Enfourner de 15 à 20 minutes.

L'épeautre est une variété traditionnelle de blé longtemps cultivée en Europe et n'ayant pas subi toutes les modifications génétiques des variétés communes. Son principal avantage est que sa farine n'est pas raffinée. Sa valeur nutritive surpasse donc celle du blé tendre. Elle contient des protéines, des fibres, du fer ainsi que plusieurs vitamines du complexe B. C'est pour toutes ces raisons que sa popularité s'accroît. On trouve du boulghour, du couscous et de la farine à l'épeautre. Sa farine s'utilise de la même façon que celle de blé entier : elle sert à la confection de pains, de pâtes et de biscuits.

Valeur nutritive par portion d'un sablé

Énergie :	99 kcal / 413 kJ
Protéines :	2,1 g
Glucides :	10,2 g
Fibres alimentaires :	1,1 g
Matières grasses :	5,9 g
Sodium :	4 mg
Fer :	0,5 mg
Calcium :	9 mg

* Faites griller les pistaches, laissez-les refroidir, puis réduisez-les en poudre; elles auront un meilleur goût.

** La pâte peut également être congelée pour un usage ultérieur. Façonnez simplement les rouleaux et enveloppez-les d'une pellicule de plastique.

Les sablés se conservent très bien dans une boîte hermétique.

Macarons à la noix de coco et au miel

Pour varier le goût de vos macarons, pourquoi ne pas utiliser des miels provenant de différentes fleurs ? Trèfle, luzerne, bleuet, sarrasin… Voilà autant de façons de varier cette recette toute simple. De plus, saviez-vous que lorsque vous remplacez le sucre par du miel, vous devriez en mettre moins pour obtenir le même résultat, le miel ayant un goût sucré plus intense que le sucre de canne ?

Valeur nutritive par portion d'un macaron

Énergie :	202 kcal / 846 kJ
Protéines :	2,7 g
Glucides :	25,4 g
Fibres alimentaires :	2,8 g
Matières grasses :	11,4 g
Sodium :	26 mg
Fer :	1,1 mg
Calcium :	13 mg

Préparation
15 min

Cuisson
15 à 20 min

Rendement
10 macarons

300 g (1 1/2 tasse) de noix de coco séchée râpée non sucrée

3 œufs

180 ml (3/4 tasse) de miel

1 Préchauffer le four à 200 °C (400 °F).

2 Mélanger successivement tous les ingrédients et façonner des boules de 5 cm (2 po) de diamètre, puis les écraser légèrement. Déposer sur une plaque tapissée de papier parchemin et enfourner de 15 à 20 minutes.

Doublez l'épaisseur des plaques afin d'éviter que les macarons brûlent en-dessous.

Avec la sauce au chocolat (p. 142), un vrai délice!

Cakes à la lime et au gingembre

Préparation
20 min

Cuisson
20 à 25 min

Rendement
18 petits cakes

115 g (1/2 tasse) de sucre de canne fin

5 œufs

200 g (1 1/2 tasse) de farine d'épeautre

100 g (2/3 tasse) de farine tout usage non blanchie

5 ml (1 c. à thé) de poudre à pâte (sans alun)

30 ml (2 c. à soupe) de graines de lin moulues

le zeste de 5 limes, haché finement

le jus de 2 limes

110 g (3/4 tasse) de gingembre frais haché finement

125 ml (1/2 tasse) d'huile de tournesol

1 Préchauffer le four à 180 °C (350 °F).

2 Mélanger le sucre et les œufs. Incorporer ensuite les farines tamisées avec la poudre à pâte, les graines de lin, le zeste et le jus de lime et le gingembre. Ajouter l'huile et mélanger jusqu'à l'obtention d'une texture lisse.

3 Répartir dans des moules à muffins préalablement graissés et enfourner aussitôt de 20 à 25 minutes. Dès la sortie du four, démouler et laisser refroidir sur une grille.

En plus de posséder un goût hors pair, le gingembre posséderait de nombreux bienfaits. On suggère entre autres aux personnes souffrant de nausées de consommer du gingembre frais, confit ou des infusions de gingembre pour soulager leur malaise. Si vous souhaitez le servir en tisane, ajoutez 5 ml (1 c. à thé) de gingembre frais haché dans 250 ml (1 tasse) d'eau et faites bouillir environ 3 minutes.

Valeur nutritive par portion d'un petit cake

Énergie :	168 kcal / 701 kJ
Protéines :	4,0 g
Glucides :	21,0 g
Fibres alimentaires :	2,2 g
Matières grasses :	8,0 g
Sodium :	39 mg
Fer :	1,1 mg
Calcium :	36 mg

Sortez les ingrédients la veille afin qu'ils soient tempérés.

La sauce au chocolat (p. 142) avec le gingembre de ce petit cake est une expérience intéressante. Laissez-vous tenter !

Rosettes de framboises

La framboise est une bonne source de vitamine C et une source élevée de fibres, soit 7 g de fibres par 250 ml (1 tasse). Les petites graines à l'intérieur du fruit fournissent les fibres insolubles qui facilitent le transit intestinal. La framboise est également une source de fibre soluble, la pectine. De plus, elle possède des propriétés antioxydantes.

Valeur nutritive par portion d'une rosette

Énergie :	104 kcal / 435 kJ
Protéines :	1,5 g
Glucides :	12,1 g
Fibres alimentaires :	1,1 g
Matières grasses :	5,9 g
Sodium :	13 mg
Fer :	0,4 mg
Calcium :	6 mg

Préparation
25 min

Cuisson
35 à 40 min

Rendement
25 rosettes

170 g (3/4 tasse) de beurre non salé, ramolli

115 g (1/2 tasse) de sucre de canne fin

1 pincée de sel

1 œuf

160 ml (2/3 tasse) de purée de framboises

180 g (1 1/3 tasse) de farine d'épeautre

60 g (1/3 tasse) de farine tout usage non blanchie

1 Préchauffer le four à 180 °C (350 °F).

2 Dans un bol, travailler ensemble le beurre, le sucre, le sel, l'œuf et la purée jusqu'à l'obtention d'une pâte bien lisse. Ajouter les farines et mélanger jusqu'à l'obtention d'une texture homogène.

3 Dresser sur une plaque tapissée de papier parchemin en forme de rosettes de 5 cm (2 po) de diamètre à l'aide d'une poche à pâtisserie munie d'une grosse douille cannelée ou dresser à la cuillère.

4 Enfourner de 35 à 40 minutes ou jusqu'à coloration.

Pour relever le goût, on peut placer une framboise fraîche au centre de la rosette avant la cuisson.

Carrés aux amandes

Préparation
45 min

Réfrigération
20 min

Cuisson
30 à 35 min

Rendement
24 carrés

Crème pâtissière à la boisson de soya

250 ml (1 tasse) de boisson de soya

2 œufs

60 g (1/4 tasse) de sucre de canne fin

45 ml (3 c. à soupe) de fécule de marante

Crème d'amande

150 g (2/3 tasse) de beurre non salé, ramolli

115 g (1/2 tasse) de sucre de canne fin

150 g (1 1/2 tasse) de poudre d'amande

2 œufs

2 ml (1/2 c. à thé) d'extrait naturel de vanille

15 m (1 c. à soupe) de fécule de marante

la crème pâtissière à la boisson de soya, refroidie

1 abaisse de pâte sablée* (p. 137)

1   Dans une casserole, porter la boisson de soya à ébullition. Dans un bol, mélanger les œufs, le sucre et la fécule. Incorporer un peu de boisson de soya chaude (pour éviter la coagulation précoce des jaunes d'œufs), verser dans la casserole en remuant et cuire 2 minutes à gros bouillons en continuant de remuer. Tapisser une plaque d'une pellicule de plastique, verser sur la plaque et couvrir d'une pellicule de plastique. Réfrigérer 20 minutes ou jusqu'à refroidissement.

2   Préchauffer le four à 180 °C (350 °F).

3   Pour la crème d'amande, mélanger le beurre, le sucre et la poudre d'amande jusqu'à l'obtention d'une texture onctueuse. Incorporer les œufs, un à un, puis laisser monter pendant 4 à 5 minutes. Ajouter à la toute fin la vanille, la fécule et la crème pâtissière refroidie. Lisser en prenant soin de ne pas trop mélanger pour éviter que l'appareil retombe.

4   Garnir une plaque graissée d'environ 26 x 38 cm (10 1/2 x 15 po) de pâte sablée et verser la crème d'amande pour couvrir la pâte aux trois quarts. Lisser proprement le dessus à l'aide d'une spatule et enfourner de 30 à 35 minutes. Une fois refroidi, démouler et couper en morceaux de 6 x 6 cm (2 1/2 x 2 1/2 po).

Miel, sirop d'érable, sucre de canne, cassonade… peu importe le sucre que vous choisissez, il importe de limiter les quantités consommées. Même si le sirop d'érable et le miel sont moins raffinés que le sucre de canne et la cassonade, il ne demeure pas moins qu'ils fournissent une grande quantité de glucides simples et peu nutritifs.

Valeur nutritive par portion d'un carré

Énergie :	169 kcal / 709 kJ
Protéines :	3,1 g
Glucides :	15,6 g
Fibres alimentaires :	1,4 g
Matières grasses :	11,1 g
Sodium :	21 mg
Fer :	0,6 mg
Calcium :	27 mg

Farinez bien le plan de travail et étalez la pâte finement.

Si vous n'avez pas de malaxeur muni d'une palette, la mixette fonctionne très bien.

Si la crème d'amande colore trop dès le début de la cuisson, n'hésitez pas à couvrir de papier d'aluminium, cela empêchera une coloration excessive.

Boisson énergétique

Préparation
10 min

Réfrigération
2 h

Rendement
4 portions
de 250 ml
(1 tasse)

1/2 banane mûre

150 g (1 tasse) de fraises fraîches ou surgelées

200 g (1 tasse) d'ananas en cubes

1/2 avocat bien mûr, dénoyauté et pelé

30 ml (2 c. à soupe) de miel

10 ml (2 c. à thé) de graines de lin moulues

500 ml (2 tasses) de boisson de soya

le jus d'une lime

1 Passer tous les ingrédients au mélangeur jusqu'à l'obtention d'une texture bien lisse. Réfrigérer 2 heures.

2 Servir très frais dans des verres préalablement refroidis au congélateur.

Une fois moulue, la graine de lin doit absolument être conservée au froid afin de prévenir l'oxydation et d'en préserver les bienfaits. Elle se conserve environ une semaine au réfrigérateur et jusqu'à un mois au congélateur. De plus, saviez-vous qu'il est possible de se procurer des graines de lin brun ou de lin doré ? Lesquelles sont les meilleures ? Toutes deux contiennent autant d'oméga-3, d'oméga-6 et de phytoestrogènes. Cependant, le lin doré contient deux fois moins de fibres que le lin brun. Le lin brun constitue donc un meilleur choix pour la plupart des gens. Seules les personnes aux intestins fragiles devraient opter pour la graine de lin doré.

Valeur nutritive par portion de 250 ml (1 tasse)

Énergie :	184 kcal / 770 kJ
Protéines :	5,3 g
Glucides :	29,3 g
Fibres alimentaires :	4,3 g
Matières grasses :	6,6 g
Sodium :	52 mg
Fer :	1,4 mg
Calcium :	205 mg

Décorez avec une petite brochette de fruits frais de saison.

Le Spa Eastman

PETIT DÉJEUNER

Muffins aux canneberges et à l'orange

La mélasse verte (ou mélasse « blackstrap ») est moins raffinée que la mélasse de fantaisie. Les deux ont presque le même goût, mais la mélasse verte contient trois fois plus de fer. Une portion de 15 ml (1 c. à soupe) de cette mélasse contient la même quantité de fer que 90 g (3 oz) de viande rouge. Afin de vous protéger contre l'anémie, vous pouvez en ajouter dans cette recette de muffins et dans plusieurs autres recettes de dessert.

L'eau de fleur d'oranger provient des fleurs d'une variété d'oranger qui ont été macérées puis distillées. L'eau de fleur d'oranger est préparée industriellement et largement utilisée en pâtisserie et en confiserie pour aromatiser. On dit de cette eau qu'elle faciliterait le sommeil.

Valeur nutritive par portion d'un muffin

Énergie :	286 kcal / 1 197 kJ
Protéines :	6,0 g
Glucides :	47,3 g
Fibres alimentaires :	6,0 g
Matières grasses :	9,9 g
Sodium :	124 mg
Fer :	1,9 mg
Calcium :	134 mg

Préparation
20 min

Cuisson
30 à 35 min

Rendement
12 muffins

500 g (3 3/4 tasses) de farine d'épeautre ou 240 g (1 1/2 tasse) de farine tout usage non blanchie et 270 g (2 tasses) de farine d'épeautre

20 ml (4 c. à thé) de poudre à pâte (sans alun)

45 ml (3 c. à soupe) de zeste d'orange finement haché

190 g (1 1/4 tasse) de canneberges fraîches ou surgelées

250 à 310 ml (1 à 1 1/4 tasse) de jus d'orange

125 ml (1/2 tasse) d'huile de tournesol

125 ml (1/2 tasse) de miel

10 ml (2 c. à thé) d'eau de fleur d'oranger

1   Préchauffer le four à 180 °C (350 °F).

2   Dans un bol, mélanger les ingrédients secs.

3   Dans un autre bol, mélanger les ingrédients liquides. Ajouter aux ingrédients secs en prenant soin de ne pas trop mélanger.

4   Répartir la pâte dans des moules à muffins préalablement graissés. Enfourner aussitôt de 30 à 35 minutes. Dès la sortie du four, démouler et laisser refroidir sur une grille.

Si la pâte vous paraît trop sèche, diluez-la avec du jus d'orange.

Muffins aux poires et aux amandes grillées

Préparation
20 min

Cuisson
30 à 35 min

Rendement
20 muffins

500 g (3 3/4 tasses) de farine d'épeautre

15 ml (1 c. à soupe) de poudre à pâte (sans alun)

115 g (1/2 tasse) de sucre de canne fin

250 g (2 1/2 tasses) d'amandes effilées, grillées

800 g (environ 1 1/2 lb) de poires, pelées, épépinées, le cœur enlevé et taillées en dés

2 œufs

30 ml (2 c. à soupe) d'extrait d'amande

75 ml (5 c. à soupe) d'huile de tournesol

180 à 250 ml (3/4 à 1 tasse) de boisson de soya

1 Préchauffer le four à 180 °C (350 °F).

2 Dans un bol, mélanger la farine tamisée avec la poudre à pâte, le sucre, 175 g (1 3/4 tasse) d'amandes et la moitié des poires.

3 Passer le reste des poires au mélangeur jusqu'à l'obtention d'une purée.

4 Dans un autre bol, mélanger au fouet la purée de poires, les œufs, l'extrait d'amande, l'huile et la boisson de soya jusqu'à l'obtention d'une texture lisse. Ajouter aux ingrédients secs en prenant soin de ne pas trop mélanger.

5 Répartir la pâte dans des moules à muffins préalablement graissés et garnir du reste des amandes. Enfourner aussitôt de 30 à 35 minutes. Dès la sortie du four, démouler et laisser refroidir sur une grille.

Les muffins que vous préparez vous-même sont bien différents de ceux achetés dans le commerce. En plus de contenir de deux à trois fois plus de gras et de sucre que les muffins maison, les muffins commerciaux sont souvent préparés à base de shortening végétal, une source de gras trans dommageable pour la santé. Lisez bien la liste des ingrédients, les mots « shortening » et « hydrogéné » révèlent la présence de gras trans. Il est à noter que l'industrie alimentaire fait actuellement des efforts pour retirer ces gras indésirables de leurs produits.

Valeur nutritive par portion d'un muffin

Énergie :	249 kcal / 1 042 kJ
Protéines :	6,8 g
Glucides :	34,1 g
Fibres alimentaires :	5,8 g
Matières grasses :	10,8 g
Sodium :	67 mg
Fer :	3,5 mg
Calcium :	97 mg

Si la pâte vous paraît trop sèche, diluez-la avec de la boisson de soya.

Brioches aux pommes, aux bleuets et aux raisins

Préparation
25 min

Réfrigération
12 h

Repos
1 h 30 min à 2 h

Cuisson
30 min

Rendement
18 petites
brioches

240 g (1 3/4 tasse) de farine
d'épeautre

240 g (1 1/2 tasse) de farine tout usage
non blanchie

10 ml (2 c. à thé) de sel

80 g (1/3 tasse) de sucre de canne fin

4 œufs

15 ml (1 c. à soupe) de levure sèche
diluée dans 60 ml (1/4 tasse) d'eau
froide

250 à 310 ml (1 à 1 1/4 tasse) d'eau
froide

225 g (1 tasse) de beurre non salé,
ramolli

2 pommes (de type Golden), pelées,
évidées et taillées en cubes

75 g (1/2 tasse) de bleuets frais ou
surgelés*

80 g (1/2 tasse) de raisins secs

5 ml (1 c. à thé) de cannelle moulue

2 ml (1/2 c. à thé) de muscade
fraîchement râpée

le jus d'un citron

1　Dans un bol, mélanger les farines, le sel, le sucre, les œufs et la levure diluée. Ajouter l'eau graduellement et travailler la pâte jusqu'à l'obtention d'une texture collante mais lisse (la pâte doit se décoller des parois du bol facilement). Déposer la pâte sur un plan de travail fariné et pétrir à la main 5 minutes. Ajouter le beurre et pétrir de nouveau 5 minutes. Couvrir hermétiquement d'une pellicule de plastique afin d'éviter la formation d'une croûte.

2　Dans un autre bol, mélanger les pommes, les bleuets, les raisins secs, la cannelle, la muscade et le jus de citron.

3　Réfrigérer la pâte et le mélange de fruits et d'épices jusqu'au lendemain.

4　Le lendemain, abaisser la pâte en un rectangle d'environ 20 x 78 cm (8 x 31 po). Humecter la surface à l'aide d'un pinceau pour que le mélange de fruits et d'épices adhère bien. Étaler les fruits et les épices et rouler la pâte du bord inférieur vers le bord supérieur pour obtenir un rouleau de 78 cm (31 po) de long. À l'aide d'un couteau, couper des tranches de 4 cm (1 1/2 po) d'épaisseur et les déposer dans des moules à muffins préalablement graissés. Couvrir d'une pellicule de plastique afin d'éviter la formation d'une croûte et laisser lever dans un endroit chaud, à l'abri des courants d'air, pendant 1 heure 30 minutes à 2 heures, jusqu'à ce qu'elles doublent de volume.

5　Préchauffer le four à 200 °C (400 °F).

6　Enfourner environ 30 minutes en surveillant la coloration. Dès la sortie du four, démouler et laisser refroidir sur une grille.

Le beurre, une matière grasse animale, est riche en gras saturés, un mauvais gras. Une personne en bonne santé peut quand même consommer du beurre, à condition d'y aller avec modération. Autrefois mis sur le banc des accusés, le beurre est peu à peu réhabilité. Par exemple, on a découvert que le beurre contenait des ALC (acides linoléiques conjugués) associés à la prévention de certains cancers, en particulier le cancer du sein.

Valeur nutritive par portion d'une petite brioche

Énergie :	241 kcal / 1 007 kJ
Protéines :	5,0 g
Glucides :	30,9 g
Fibres alimentaires :	2,7 g
Matières grasses :	11,6 g
Sodium :	276 mg
Fer :	1,6 mg
Calcium :	21 mg

* Si vous utilisez des bleuets surgelés, il est préférable de les sortir la veille et de les laisser bien égoutter à l'aide d'une passoire. Vous éviterez ainsi qu'ils rendent un surplus d'eau qui pourrait éventuellement détremper la pâte.

En démoulant les brioches dès la sortie du four, on évite qu'elles prennent l'humidité à l'intérieur du moule.

Bien emballées individuellement et placées dans des sacs pour congélateur, elles se conserveront au congélateur plusieurs semaines sans perdre leur goût ou leur texture moelleuse.

Crêpes maison

Peu importe la farine, qu'elle soit de blé, de kamut ou d'épeautre, assurez-vous qu'elle soit entière et moulue sur pierre (ou à la meule). Celle-ci contiendra 100 % des éléments nutritifs du grain de départ. Contrairement à la farine de blé entier industrielle, la farine moulue à la meule conserve toutes les vitamines et les minéraux contenus dans le germe de la céréale. Toutefois, elle a un goût plus prononcé et a tendance à rancir plus rapidement. Si vous n'en utilisez pas souvent, conservez-la au réfrigérateur. Elle se conservera ainsi pendant trois mois.

Valeur nutritive par portion d'une crêpe
(donne 18 crêpes fines)

Énergie :	75 kcal / 312 kJ
Protéines :	3,3 g
Glucides :	8,9 g
Fibres alimentaires :	1,1 g
Matières grasses :	3,1 g
Sodium :	77 mg
Fer :	0,7 mg
Calcium :	51 mg

Préparation
15 min

Repos
20 min

Cuisson
2 à 4 min
chacune

Rendement
environ 15 à 18
crêpes fines

160 g (1 1/4 tasse) de farine d'épeautre

4 œufs

30 ml (2 c. à soupe) de sirop d'érable

2 ml (1/2 c. à thé) de sel

30 ml (2 c. à soupe) d'huile de tournesol

500 ml (2 tasses) de boisson de soya ou de lait à 2 %

1 Mélanger la farine, les œufs, le sirop d'érable, le sel et l'huile jusqu'à l'obtention d'une pâte homogène. Délayer avec la boisson de soya ou le lait et laisser reposer 20 minutes à la température ambiante.

2 Chauffer une poêle légèrement huilée à feu moyen. Verser un peu de l'appareil à crêpes, incliner la poêle pour étaler l'appareil et cuire de 1 à 2 minutes de chaque côté.

Une poêle bien chaude requiert moins d'huile et colle moins.

Cette recette peut être utilisée également dans la préparation de crêpes salées garnies d'épinards, de fromage, de champignons, etc.

Pain muesli

Préparation
30 min

Repos
2 à 3 h

Cuisson
40 à 50 min

Portions
12 à 14

320 g (2 tasses) de farine à pain biologique moulue sur pierre

5 ml (1 c. à thé) de sel

10 ml (2 c. à thé) de levure sèche diluée dans 90 ml (6 c. à soupe) d'eau froide

environ 200 ml (3/4 tasse + 4 c. à thé) de jus de pomme*

45 ml (3 c. à soupe) de framboises fraîches ou surgelées**

45 ml (3 c. à soupe) de noix de Grenoble, grillées et hachées

60 ml (1/4 tasse) d'amandes effilées, grillées et hachées

45 ml (3 c. à soupe) de noisettes, grillées et hachées

30 ml (2 c. à soupe) de son d'avoine

5 ml (1 c. à thé) de muscade fraîchement râpée

30 ml (2 c. à soupe) de flocons d'avoine à cuisson rapide

30 ml (2 c. à soupe) d'amandes effilées, concassées

30 ml (2 c. à soupe) de graines de lin moulues

1   Dans un bol, mélanger la farine, le sel et la levure diluée. Ajouter le jus graduellement et travailler la pâte jusqu'à l'obtention d'une texture collante mais lisse (la pâte doit se décoller des parois du bol facilement). Déposer la pâte sur un plan de travail fariné et pétrir à la main jusqu'à l'obtention d'une pâte lisse et élastique. Dans un bol, mélanger les framboises, les noix de Grenoble, les amandes effilées grillées et hachées, les noisettes, le son d'avoine et la muscade, puis les incorporer à la pâte. Pétrir de nouveau quelques minutes afin que les framboises et les noix se mélangent bien à la pâte.

2   Déposer la pâte dans un bol préalablement huilé et couvrir hermétiquement d'une pellicule de plastique. Laisser lever dans un endroit chaud, à l'abri des courants d'air, pendant 1 heure à 1 heure 30 minutes, jusqu'à ce qu'elle double de volume.

3   Façonner ensuite un rouleau serré et le déposer dans un moule à pain de 12 × 26 cm (4 1/2 × 10 1/2 po) préalablement huilé. Dans un bol, mélanger les flocons d'avoine, les amandes effilées concassées et les graines de lin. Humecter le dessus du rouleau à l'aide d'un pinceau et y répartir le mélange. Couvrir d'une pellicule de plastique. Laisser lever de nouveau pendant 1 heure à 1 heure 30 minutes, jusqu'à ce qu'il double de volume.

4   Préchauffer le four à 180 °C (350 °F).

5   Enfourner de 40 à 50 minutes (couvrir de papier d'aluminium en cas de coloration excessive ; cela ne nuira pas à la cuisson).

Gruau minute, rapide ou à l'ancienne, comment s'y retrouver ? Sachez que ceux-ci sont tous faits de flocons d'avoine ayant conservé le son et le germe du grain d'avoine, ce qui les rend tous aussi nutritifs les uns que les autres. Ce qui diffère, c'est leur temps de cuisson. Après avoir décortiqué le grain, on le coupe en flocons plats, de tailles différentes. Plus le flocon est petit, plus la cuisson est rapide. Ainsi, le gruau minute est plus rapide à cuire que le gruau rapide et ce dernier cuit plus rapidement que le gruau à l'ancienne. Le gruau à l'ancienne aura par contre un goût plus prononcé et une texture moins fine. En ce qui concerne le gruau instantané, il contient souvent des additifs, du sel et des substances épaississantes, comme la gomme de guar, afin d'obtenir la texture souhaitée en ajoutant seulement de l'eau chaude.

Valeur nutritive par tranche (1/14 pain)

Énergie :	181 kcal / 758 kJ
Protéines :	5,8 g
Glucides :	22,3 g
Fibres alimentaires :	2,6 g
Matières grasses :	8,1 g
Sodium :	168 mg
Fer :	1,0 mg
Calcium :	32 mg

ou de jus d'orange

** Si vous utilisez des framboises surgelées, il est préférable de les sortir la veille et de les laisser bien égoutter à l'aide d'une passoire. Vous éviterez ainsi qu'elles rendent un surplus d'eau qui pourrait éventuellement détremper la pâte.*

Pain de soleil

Pour améliorer la valeur nutritive de vos pains maison, vous pouvez ajouter une petite quantité de grains concassés à votre pâte à condition de ne pas dépasser 10 % de la quantité de farine, soit un maximum de 25 ml (5 c. à thé) de grains concassés par 250 ml (1 tasse) de farine. Plusieurs types de grains feront parfaitement l'affaire : millet, riz brun, orge, avoine, seigle, sarrasin, kamut… Il s'agit d'en choisir quelques variétés, de les faire griller au four ou dans une poêle sans ajout de matière grasse, puis de les concasser à l'aide d'un moulin à café ou d'un mortier. Ces grains sont offerts dans les magasins d'alimentation naturelle.

Valeur nutritive par tranche (1/14 pain)

Énergie :	127 kcal / 531 kJ
Protéines :	3,4 g
Glucides :	18,0 g
Fibres alimentaires :	2,3 g
Matières grasses :	5,1 g
Sodium :	266 mg
Fer :	1,3 mg
Calcium :	11 mg

Préparation
30 min

Macération
12 h

Repos
2 à 3 h

Cuisson
40 à 50 min

Portions
12 à 14

60 ml (1/4 tasse) de tomates séchées hachées finement

60 ml (1/4 tasse) d'olives noires de Calamata dénoyautées et hachées grossièrement

5 ml (1 c. à thé) de fleurs d'ail

10 grosses feuilles de basilic frais, ciselées

1 branche de thym frais, effeuillée

1/2 branche de romarin frais, effeuillée et hachée finement

60 ml (1/4 tasse) d'huile d'olive extra-vierge

200 g (1 1/2 tasse) de farine d'épeautre

120 g (3/4 tasse) de farine tout usage non blanchie

5 ml (1 c. à thé) de sel

15 ml (1 c. à soupe) de levure sèche diluée dans 90 ml (6 c. à soupe) d'eau froide

de 180 à 200 ml (de 3/4 tasse à 3/4 tasse + 4 c. à thé) d'eau froide

1   Mélanger les tomates séchées, les olives, la fleur d'ail, le basilic, le thym, le romarin et l'huile et laisser macérer au réfrigérateur jusqu'au lendemain.

2   Le lendemain, dans un bol, mélanger les farines, le sel et la levure diluée. Ajouter l'eau graduellement et travailler la pâte jusqu'à l'obtention d'une texture collante mais lisse (la pâte doit se décoller des parois du bol facilement). Déposer la pâte sur un plan de travail fariné et pétrir à la main jusqu'à l'obtention d'une pâte lisse et élastique. Incorporer la macération et continuer le pétrissage jusqu'à ce que la pâte ne colle plus aux mains.

3   Déposer la pâte dans un bol préalablement huilé et couvrir hermétiquement d'une pellicule de plastique. Laisser lever la pâte dans un endroit chaud, à l'abri des courants d'air, pendant 1 heure à 1 heure 30 minutes, jusqu'à ce qu'elle double de volume.

4   Façonner ensuite un rouleau serré et le déposer dans un moule à pain de 12 × 26 cm (4 1/2 × 10 1/2 po) préalablement huilé. Couvrir d'une pellicule de plastique. Laisser lever de nouveau pendant 1 heure à 1 heure 30 minutes, jusqu'à ce qu'il double de volume.

5   Préchauffer le four à 180 °C (350 °F).

6   Enfourner de 40 à 50 minutes (couvrir de papier d'aluminium en cas de coloration excessive ; cela ne nuira pas à la cuisson).

Ce pain peut être utilisé dans la préparation de vos canapés et hors-d'œuvre. Coupez-le simplement en petits carrés ou en petits ronds à l'aide d'un emporte-pièce et grillez-le.

Petits pains de campagne

Préparation
15 à 20 min

Repos
2 à 3 h

Cuisson
15 à 20 min

Rendement
10 petits pains

90 g (2/3 tasse) de farine d'épeautre

85 g (3/4 tasse) de farine de seigle

160 g (1 tasse) de farine tout usage non blanchie

30 ml (2 c. à soupe) de graines de lin moulues

5 ml (1 c. à thé) de sel

10 ml (2 c. à thé) de levure sèche diluée dans 90 ml (6 c. à soupe) d'eau froide

de 180 à 200 ml (de 3/4 tasse à 3/4 tasse + 4 c. à thé) d'eau froide

1   Dans un bol, mélanger les farines, les graines de lin, le sel et la levure diluée. Ajouter l'eau graduellement et travailler la pâte jusqu'à l'obtention d'une texture collante mais lisse (la pâte doit se décoller des parois du bol facilement). Déposer la pâte sur un plan de travail fariné et pétrir à la main jusqu'à l'obtention d'une pâte lisse et élastique.

2   Déposer la pâte dans un bol préalablement huilé et couvrir hermétiquement d'une pellicule de plastique. Laisser lever la pâte dans un endroit chaud, à l'abri des courants d'air, pendant 1 heure à 1 heure 30 minutes, jusqu'à ce qu'elle double de volume.

3   Façonner des petites boules, les déposer sur une plaque préalablement huilée, puis les enduire d'une mince couche d'huile afin d'éviter que la pâte colle à la pellicule de plastique. Couvrir d'une pellicule de plastique. Laisser lever de nouveau pendant 1 heure à 1 heure 30 minutes, jusqu'à ce qu'elles doublent de volume.

4   Préchauffer le four à 200 °C (400 °F).

5   Asperger d'eau à l'aide d'un vaporisateur et saupoudrer de farine pour leur donner une allure campagnarde. Rayer d'un trait peu profond à l'aide d'une lame de rasoir.

6   Enfourner de 15 à 20 minutes.

La graine de lin contient à la fois des fibres solubles (bénéfiques pour la santé cardiaque), des gras monoinsaturés (de bons gras) et des acides gras oméga-3 en bonne concentration. Pour accéder à tous ces éléments, il faut absolument moudre les graines de lin, notre corps n'étant pas capable de briser la carapace de cette graine. Pour y arriver, le moulin à café convient parfaitement. Une portion de 10 ml (2 c. à thé) de graines de lin moulues permet de combler vos besoins en oméga-3 pour la journée.

Valeur nutritive par portion d'un petit pain

Énergie :	122 kcal / 512 kJ
Protéines :	4,0 g
Glucides :	25,7 g
Fibres alimentaires :	3,0 g
Matières grasses :	0,6 g
Sodium :	235 mg
Fer :	1,4 mg
Calcium :	8 mg

Il est préférable de doubler la plaque afin d'éviter que le pain cuise trop vite en dessous et que le dessus ne cuise pas suffisamment.

Salade de fruits
aux parfums d'herbes

Le baume de mélisse, une herbe parfumée au citron, s'utilise fraîche ou séchée. De la même famille que la menthe, elle s'utilise surtout dans les desserts, mais aussi dans certains plats de poisson et dans des caris indiens. On peut également la consommer en infusion. Le baume de mélisse aurait des propriétés calmantes et serait efficace contre les maux de tête.

Valeur nutritive par portion
(donne 10 portions)

Énergie :	103 kcal / 430 kJ
Protéines :	0,9 g
Glucides :	26,0 g
Fibres alimentaires :	2,5 g
Matières grasses :	0,4 g
Sodium :	4 mg
Fer :	0,7 mg
Calcium :	27 mg

Préparation
20 min

Macération
12 h

Portions
8 à 10

1 pomme, pelée, évidée et taillée en petits cubes

1 poire, pelée, épépinée, le cœur enlevé et taillée en petits cubes

1 mangue, pelée, dénoyautée et taillée en petits cubes

1 dizaine de raisins, coupés en deux

150 g (1 tasse) de fraises en petits cubes

30 ml (2 c. à soupe) de bleuets

30 ml (2 c. à soupe) d'ananas en petits cubes

1 grosse pêche, pelée, dénoyautée et taillée en petits cubes

2 kiwis, pelés et taillés en petits cubes

le zeste haché finement et le jus de 3 limes

750 ml (3 tasses) de jus de pomme

250 ml (1 tasse) de jus d'orange

6 grosses feuilles de basilic frais, ciselées

1/2 branche de thym frais, effeuillée

10 feuilles de baume de mélisse fraîche, ciselées

10 feuilles de menthe fraîche, ciselées

1 Dans un grand bol, mélanger tous les ingrédients et laisser macérer une nuit au réfrigérateur.

2 Servir très frais.

Préparez la veille pour de meilleurs résultats.

Le mélange de fruits doit être complètement recouvert de jus de fruits. Ajoutez du jus d'orange au besoin.

Les fruits macérés peuvent être égouttés et accompagnés de yogourt nature.

Marmelade d'oranges aux épices

Préparation
30 min

Cuisson
15 min

Traitement des bocaux
10 min

Attente
24 h

Rendement
3 bocaux de 250 ml (1 tasse)

8 oranges, lavées et brossées sous l'eau courante

350 g (1 1/2 tasse) de sucre de canne fin

3 clous de girofle

45 ml (3 c. à soupe) de gingembre frais râpé finement

5 ml (1 c. à thé) de cardamome moulue

1 Peler à vif les oranges et conserver seulement la moitié des écorces. Retirer la peau blanche des écorces et tailler les écorces en petits morceaux. Déposer dans une casserole.

2 Lever les suprêmes*, les couper grossièrement et les ajouter dans la casserole.

3 Ajouter le reste des ingrédients.

4 Porter à ébullition et cuire à découvert 15 minutes à feu moyen. Réserver au chaud.

5 Mettre les disques plats en métal à bouillir 5 minutes afin d'en activer le produit de scellage. Verser la marmelade chaude jusqu'à 5 mm (1/4 po) du haut dans des bocaux propres et chauds. Retirer les bulles d'air à l'aide d'une spatule et ajuster l'espace de tête, au besoin. Essuyer le pourtour du bocal pour enlever tout résidu collant. Fermer les bocaux en vissant les bagues jusqu'au point de résistance, sans trop serrer. Traiter les bocaux dans l'eau bouillante 10 minutes (commencer à calculer la durée du traitement à la chaleur quand l'eau commence à bouillir fortement).

6 Retirer les bocaux de la marmite d'eau bouillante. Laisser refroidir 24 heures à la température ambiante.

Bien que la cardamome, avec le safran et la vanille, soit une des épices les plus coûteuses, sa saveur chaude et légèrement poivrée mérite une place de choix dans vos recettes. On retrouve de la cardamome verte ou noire. La verte a été séchée au soleil, tandis que la noire a été séchée au four. Dans les deux cas, il est préférable de l'acheter entière, en gousse, et de la moudre à la dernière minute à l'aide d'un mortier, d'un moulin à épices ou d'un moulin à café. Vous serez ainsi assuré de la pureté et de la qualité de votre épice. De plus, le parfum des graines de cardamome moulues s'évente rapidement.

Valeur nutritive par portion de 30 ml (2 c. à soupe)

Énergie :	57 kcal / 239 kJ
Protéines :	0,1 g
Glucides :	14,7 g
Fibres alimentaires :	0,3 g
Matières grasses :	0,0 g
Sodium :	0 mg
Fer :	0,0 mg
Calcium :	4 mg

Pour lever les suprêmes, glissez simplement la lame d'un couteau entre chacune des membranes et retirez les quartiers.

La marmite doit être assez profonde pour que les bocaux soient couverts d'au moins 2,5 cm (1 po) d'eau et être assez grande pour que l'eau puisse bouillir à gros bouillons.

Les disques de métal ne doivent être utilisés qu'une seule fois.

Les couvercles bien scellés se courbent vers le bas.

Lexique

Abaisser
Donner une certaine épaisseur à une pâte à l'aide d'un rouleau à pâtisserie sur un plan de travail fariné.

Agar-agar
p. 146

Algues
p. 51

Appareil
Mélange d'éléments divers servant à réaliser une préparation de cuisine et à confectionner un mets. Les appareils sont surtout nombreux en pâtisserie.

Bain-marie (cuire au)
Cuire doucement des aliments dans un récipient plongé dans un autre, plus grand, contenant de l'eau frémissante. Cette technique est utilisée pour éviter un contact direct de l'aliment avec la chaleur.

Blanchir
Plonger rapidement des aliments crus dans l'eau bouillante, soit pour les attendrir (blanchir des carottes), soit pour en enlever l'âcreté (blanchir du chou), soit pour en faciliter l'épluchage (blanchir des tomates) ou soit pour les cuire totalement (blanchir des épinards).

Boisson de soya
p. 129

Bouquet garni
p. 22

Brunoise
Coupe d'un légume en minuscules dés.

Caraméliser
Transformer du sucre en caramel sous l'action de la chaleur.

Cardamome
p. 175

Cari
p. 97

Céleri-rave
p. 123

Cercle
Accessoire de cuisine (emporte-pièce sans fond) dont le diamètre peut varier, utilisé comme moule pour la cuisson ou comme forme pour la présentation d'assiette.

Chinois
Passoire de forme conique, munie d'un manche, utilisée pour filtrer un bouillon, une sauce, une crème, pour réduire une préparation en une purée très lisse ou pour égoutter. Peut être remplacé par une passoire à mailles plus ou moins fines, selon l'usage.

Ciseler
Tailler des légumes ou des fines herbes en menus morceaux, en fines lanières ou en dés minuscules.

Citronnelle
p. 53

Condiment
Tout ingrédient, naturel (sel, poivre, sucre, épices) ou préparé (moutarde, ketchup, chutney), utilisé en cuisine pour relever le goût d'un mets ou lui servir d'accompagnement au moment de le déguster.

Coulis
Préparation en purée liquide, réalisée à cru ou en quelques minutes de cuisson et utilisée comme sauce.

Cube
Coupe d'un aliment en morceaux réguliers, mais plus gros que des dés.

Cube pour bouillon aux légumes
p. 45

Dé
Coupe d'un aliment en petits morceaux réguliers à faces de même dimension.

Décortiquer
Débarrasser un crustacé de sa carapace ou un mollusque de sa coquille, pour n'en garder que la chair.

Déglacer
Liquéfier les sucs caramélisés au fond d'un récipient de cuisson en ajoutant un liquide.

Dégorger
a) Faire tremper les aliments dans de l'eau froide renouvelée plusieurs fois pour éliminer les impuretés ou le sang qu'ils contiennent.
b) Éliminer une partie de l'eau de végétation de certains légumes en les saupoudrant de sel.

Dénoyauter
Retirer les noyaux de certains fruits.

Dresser
Disposer harmonieusement les mets sur les plats ou dans les assiettes de service.

Eau de fleur d'oranger
p. 166

Ébarber
Nettoyer les mollusques de tout ce qui adhère à la coquille avant de les apprêter.

Écumer
Retirer d'un liquide en ébullition les impuretés et les matières grasses qui remontent à la surface.

Émincer
Tailler en tranches fines et minces.

Étamine
Linge fin qui sert à passer un fond, une sauce, un coulis ou une gelée afin de rendre ces préparations lisses et homogènes. Peut être remplacée par une passoire à mailles fines.

Évider
Extraire la pulpe d'un légume ou d'un fruit et retirer l'eau de végétation en vue d'une préparation culinaire.

Farine d'épeautre
p. 157

Farine tout usage non blanchie
p. 150

Fécule de marante
p. 90

Fleurs d'ail
p. 79

Foncer
Garnir le fond d'un récipient de cuisson ou d'un moule avec une pâte.

Fond
Préparation liquide utilisée pour le mouillement des potages et des sauces. Il est brun ou blanc selon son utilisation.

Fouler
Passer une sauce, une purée, un potage à travers un chinois ou une passoire, en les comprimant à l'aide d'une petite louche ou d'une spatule de bois.

Frémir
Cuire des aliments dans un liquide maintenu à une température proche du point d'ébullition.

Fumet
Préparation liquide, parfumée et très concentrée, qui provient de la cuisson d'arêtes et de parures de poissons dans un liquide aromatisé. On utilise le fumet de poisson pour compléter, corser et parfumer une sauce pour un plat de poisson. Il sert également à pocher les poissons fins.

Garam masala
p. 68

Garniture
Ensemble des aliments qui accompagnent et complètent un plat.

Germes de soya
p. 53

Germination
p. 54

Graines de chanvre
p. 153

Graines de lin
p. 163 et 173

Infuser
a) Ébouillanter une substance aromatique et la laisser agir le temps que le liquide s'imprègne de sa saveur.
b) Laisser séjourner un élément aromatique dans une préparation chaude pour l'en parfumer.

Julienne
Coupe d'un aliment en fins filaments.

Lamelle
Coupe d'un aliment en très fines tranches.

Lever
a) Prélever, à l'aide d'un couteau, une partie d'un tout, par exemple des filets de poisson, des ailes de poulet.
b) En pâtisserie, gonfler sous l'effet de la fermentation.

Levure alimentaire Red Star
p. 37

Lier
Donner une certaine consistance à un fond, à une sauce ou à un potage en ajoutant un élément de liaison (amidon, fécule, jaune d'œuf, etc.).

Lisser
Rendre lisse, sans inégalités à la surface.

Macérer
Faire tremper des éléments crus, séchés ou confits dans un liquide (alcool, liqueur, mélange aigre-doux, sirop, vin), pour que celui-ci les imprègne de son parfum. La macération concerne plus spécialement les fruits ; pour les viandes, les poissons ou les légumes, on emploie généralement le terme « mariner ».

Mandoline
Coupe-légumes composé de lames réglables (unie et cannelée) qui tranchent très finement.

Mariner
Mettre à tremper dans un liquide aromatique un ingrédient pendant un temps déterminé, pour l'attendrir et le parfumer.

Mijoter
Cuire doucement et régulièrement.

Miso
p. 45

Monter
Battre une préparation afin d'incorporer de l'air et augmenter ainsi son volume.

Mouiller
Ajouter un liquide (fond, vin, eau) à une préparation afin de permettre sa cuisson.

Napper
Verser sur un mets une sauce, un coulis, une crème, etc., de manière à le recouvrir aussi complètement et uniformément que possible.

Orge mondé
p. 69

Pain azyme
p. 81

Parures
Déchets ou parties nuisant à la présentation d'un aliment.

Passer
Filtrer un aliment au travers d'une passoire, d'un chinois, d'un tamis ou d'une étamine, soit pour l'égoutter, soit pour éliminer les parties non comestibles ou encore dans un but de l'affiner.

Peler à vif
Enlever en une seule opération, à l'aide d'un couteau, l'écorce et la peau blanche d'un agrume.

Pointe
Très petite quantité d'un condiment que l'on prélève avec la pointe d'une lame de couteau.

Poudre à pâte (sans alun)
p. 137

Quinoa
p. 72

Râble
Partie charnue du lapin ou du lièvre située entre les épaules et la naissance de la queue (dos).

Rafraîchir
Refroidir rapidement un aliment à l'eau courante.

Réduire
Concentrer un liquide en évaporant une partie de l'eau par ébullition.

Réserver
Action qui permet de mettre de côté pour une utilisation ultérieure.

Revenir (faire)
Passer divers aliments dans un corps gras très chaud en début de cuisson pour en colorer la surface. La cuisson se poursuit généralement à feu lent.

Rissoler
Cuire des aliments dans un corps très chaud pour les saisir, de manière à leur faire prendre couleur. On rissole un aliment soit pour le cuire complètement (pommes de terre rissolées), soit pour en commencer la cuisson (un rôti).

Rotini de riz brun
p. 79

Saisir
Dans un corps gras très chaud, faire cuire l'aliment à feu ardent. Colorer à haute température les surfaces de la viande pour sceller le jus à l'intérieur.

Saupoudrer
Parsemer uniformément la surface d'une préparation ou d'un mets d'un élément sec (sucre, sel, farine, etc.) ou d'un élément ciselé (fines herbes, par exemple) ou râpé (fromage surtout).

Sauter
Cuire des aliments de petite taille à feu vif, dans un corps gras, en les remuant de temps à autre pour qu'ils n'attachent pas.

Suc
Substance qui se dégage de la cuisson des viandes rôties ou poêlées et qui se caramélise au fond de l'ustensile de cuisson. On déglace les sucs pour faire une sauce.

Sucre de canne fin
p. 161

Suer
Éliminer l'eau de végétation d'un légume en le chauffant doucement avec un corps gras et en évitant toute coloration.

Tahini
p. 65

Tailler
Couper en morceaux de forme précise et régulière.

Tamari
p. 39

Tamiser
Passer une denrée au travers d'un tamis.

Tapisser
Garnir un moule ou un plat de cuisson pour aider au démoulage après la cuisson.

Tempeh
p. 83

Tofu
p. 99

Tomber (faire)
Faire réduire de volume certains légumes riches en eau, en les soumettant à l'action de la chaleur, avec ou sans corps gras et sans leur laisser prendre couleur.

Tronçon
Coupe d'un aliment, de forme allongée, en morceaux réguliers de longueur variable.

Zeste
Morceau prélevé dans l'écorce odorante des agrumes.

Index alphabétique des recettes

Bibliographie

Archambault, Ariane et Jean-Claude Corbeil. *La Cuisine au fil des mots – Dictionnaire des termes de la cuisine*, Les Éditions Québec/Amérique inc., 1997, 240 pages.

Frappier, Renée et Danielle Gosselin. *Le Guide des bons gras*, 2e éd., Les Éditions Maxam Inc., 1999, 403 pages.

Frappier, Renée. *Le Guide de l'alimentation saine et naturelle*, Les Éditions Maxam Inc., 1987, 347 pages.

Frappier, Renée. *Le Guide de l'alimentation saine et naturelle*, Les Éditions Maxam Inc., 1990, tome 2, 348 pages.

Gardon, Anne. *La cuisine, naturellement*, Les Éditions de l'Homme, 1995, 175 pages.

L'Encyclopédie visuelle des aliments, Les Éditions Québec/Amérique inc., 1996, 688 pages.

Larousse de la Cuisine, Larousse-Bordas/HER, 1999, 863 pages.

Larousse des Desserts, Larousse-Bordas, 1997, 462 pages.

Larousse gastronomique, Larousse-Bordas, 1997, 1 215 pages.

Laurin, Solange. *Alimentation vivante*, Les Éditions Publistar, 2003, 271 pages.

Remerciements

Merci à notre chef Pierre Cornélis qui a mis son grand talent à contribution pour surmonter — avec brio — les défis et les exigences de la gastronomie santé et qui a su créer des plats aux mille et une saveurs.

Merci à Stéphane Triballi, notre chef pâtissier, pour son égal talent, sa disponibilité, son enthousiasme contagieux et sa passion, investis dans la création de desserts gourmands totalement innovateurs.

Nous saluons le travail des membres de l'équipe de la cuisine qui ont soutenu nos efforts pendant la préparation de cet ouvrage. Merci à Carole, Michèle, Manuel, Nicolas et André.

Merci à Geneviève O'Gleman, nutritionniste, dont la rigueur et le savoir nous ont permis d'étoffer et de valider les données nutritionnelles des recettes présentées dans ce livre.

Finalement, nous tenons à exprimer des remerciements particuliers à Sylvie Dorais, notre rédactrice, qui a cru en ce projet depuis le tout début. Pour tes nombreuses questions qui nous ont positivement forcés à nous remettre régulièrement en question, pour tes compétences et ta passion, nous te sommes sincèrement reconnaissants.

Table des matières

VOUS AVEZ AIMÉ CE LIVRE ? VOUS SOUHAITEZ L'OFFRIR EN CADEAU ? RIEN DE PLUS SIMPLE.

Vous pouvez commander *Le Spa Eastman à votre table*
• par téléphone, au 1 800 665-5272 ;
• par paiement sécurisé depuis notre site Internet www.spa-eastman.com ;
• par télécopieur ou par la poste en photocopiant ou en reproduisant ce formulaire.

Prix du livre : 39,95 $ + TPS 2,80 $ = 42,75 $ (Aucuns frais d'envoi pour les livres expédiés au Canada.)

COORDONNÉES DE L'ACHETEUR

Votre nom : _____

Votre adresse : _____

_____

_____

Votre numéro de téléphone : _____

Adresse de courrier électronique : _____

❑ Je souhaite que le livre me soit envoyé directement.
❑ Je souhaite que le livre soit envoyé à la personne à qui je l'offre.

Voici ses coordonnées :

Son nom : _____

Son adresse : _____

_____

_____

Message à inscrire sur la carte qui accompagnera le livre :

_____

_____

_____

MÉTHODE DE PAIEMENT

❑ Paiement par carte de crédit
Complétez la section suivante et envoyez le formulaire par télécopieur au 450 297-3370
ou par la poste à l'adresse indiquée plus bas.

❑ VISA   ❑ Master Card   ❑ American Express

Numéro de la carte : _____ Date exp. : MM/AA

Nom du détenteur de la carte (en lettres majuscules SVP) : _____

Signature du détenteur : _____

❑ Paiement par chèque
Envoyez le formulaire, accompagné de votre chèque libellé à l'ordre du Spa Eastman, à :
Spa Eastman
895, chemin des Diligences
Eastman (Québec) J0E 1P0